ROGÉRIO GOMES

EM BUSCA DE UM CAMINHO INTERIOR
Os diversos modos de se encontrar com Deus e consigo mesmo

Editora
SANTUÁRIO

DIREÇÃO EDITORIAL:
Pe. Fábio Evaristo R. Silva, C.Ss.R.

CONSELHO EDITORIAL:
Pe. Ferdinando Mancilio, C.Ss.R.
Pe. Marlos Aurélio, C.Ss.R.
Pe. Mauro Vilela, C.Ss.R.
Pe. Victor Hugo Lapenta, C.Ss.R.

COORDENAÇÃO EDITORIAL E REVISÃO:
Ana Lúcia de Castro Leite

DIAGRAMAÇÃO E CAPA:
Bruno Olivoto

Dados Internacionais de Catalogação na Publicação (CIP)
(Câmara Brasileira do Livro, SP, Brasil)

Gomes, Rogério
   Em busca de um caminho interior: os diversos modos de se encontrar com Deus e consigo mesmo / Rogério Gomes. – Aparecida, SP: Editora Santuário, 2017.

   ISBN 978-85-369-0514-3

   1. Crescimento espiritual 2. Desenvolvimento pessoal 3. Deus (Cristianismo) 4. Experiência interior 5. Oração 6. Vida cristã I. Título.

17-07270   CDD-248.4

Índices para catálogo sistemático:

1. Crescimento espiritual: Vida cristã:
Cristianismo 248.4

2ª impressão

Todos os direitos reservados à **EDITORA SANTUÁRIO** – 2022

Rua Pe. Claro Monteiro, 342 – 12570-000 – Aparecida-SP
Tel.: 12 3104-2000 – Televendas: 0800 - 0 16 00 04
www.editorasantuario.com.br
vendas@editorasantuario.com.br

SUMÁRIO

Prefácio | 7
Introdução | 9

I. Tornar-se peregrino de si mesmo | 17
   1. A história pessoal como história de salvação | 22
   2. O ser e a existência em busca de si e de Deus | 29
   3. A Criação e o oitavo dia de nossa existência | 33
   4. Integrar nossos sentimentos no diálogo com Deus | 44
   5. Sofrimento humano: quando a palavra silencia... | 47
   6. O ser humano em busca de Deus | 53
   7. A morte: Renascer em Cristo à Vida Nova! | 57

II. Cultivar o silêncio e encontrar-se com Deus em meio ao barulho | 63
   1. A dimensão provocativa do silêncio | 67
   2. As cinco etapas do silêncio | 69

  O silêncio kenótico | 69
  O silêncio ontológico | 71
  O silêncio mistagógico | 72
  O silêncio antropofânico | 75
  O silêncio teofânico | 76
 3. Silêncio: escuta amorosa de Deus | 77
 4. Silêncio e presença de Deus | 79
 5. Um tesouro que não se deve perder... | 83

III. O RETIRO ESPIRITUAL COMO CAMINHO DE PEREGRINAÇÃO INTERIOR | 85
 1. Retirar-se para buscar a novidade de Deus que há dentro de si | 86
 2. Experiências profundas decorrentes do retiro | 89
  2.1. Refletir sobre o sentido da vida | 90
  2.2. Experimentar o amor de Deus | 95
  2.3. Recordar e buscar a santidade de Deus em nós | 99
  2.4. O discipulado: colocar-se a caminho com o Mestre | 105
  2.5. Ser "téofilo", amigo de Deus | 110

IV. A ORAÇÃO COMO ALIMENTO PARA O CAMINHO ESPIRITUAL | 113
 1. A oração: chamar Deus de Tu na intimidade | 113
 2. Nossa forma íntima de se comunicar com Deus: a oração | 115
 3. Oração: intimidade e comunhão com Deus | 118
 4. A Oração de Jesus: Senhor, ensina-nos a rezar! | 122
 5. A Oração da Igreja Primitiva | 126
 6. Rezar ao Pai em segredo: o cultivo da oração pessoal individual | 130
 7. Oração pessoal comunitária: reunidos em nome do Senhor | 134

8. Oração de Louvor: reconhecer a bondade de Deus | 138
9. A oração de Agradecimento: a gratuidade que emana do Espírito | 142
10. Oração para discernimento: pedir ao Senhor a sabedoria | 146
11. Oração e ação: duas bases importantes para a vida espiritual | 149

V. A EXPERIÊNCIA DE DEUS: *TREMENDUM ET FASCINANS* | 155
1. A experiência de Deus: breve definição | 155
2. Os ruídos que não nos deixam escutar a voz de Deus | 158
3. Experiência de Deus do deserto no itinerário da fé | 159
4. O deserto e a sarça ardente: o Deus caminhante se revela a Moisés | 165
5. Desolação: quando Deus parece estar longe | 168
6. A consolação: repousar nosso ser em Deus | 171
7. Experimentar Deus em meio às muralhas de concreto | 174

VI. O ENCONTRO QUE FAZ O CORAÇÃO ARDER | 179
1. A narrativa do escandaloso acontecimento: a morte de Jesus | 179
2. A intervenção de Jesus e o diálogo do Mestre | 183
3. Reconhecimento: Escrituras, a comunidade e partir o Pão – núcleos da fé cristã | 184
4. A volta para Jerusalém | 187

VII. Celebrar os mistérios divinos na itinerância do tempo | 191
   1. O descanso: tempo para o Senhor,
para si e para o próximo | 191
   2. O ano litúrgico e seus tempos | 195
   3. Celebrar e imiscuir-se no mistério
de Deus em nossa vida | 199
      3.1. O Advento: aplainar os caminhos
para o Senhor que vem | 199
      3.2. A Encarnação como evento espiritual | 201
      3.3. A Quaresma: convite a rasgar
o coração a Deus e ao próximo | 205
      3.4. Celebrar a Ressurreição: palavra final
da vida sobre a morte! | 210
      3.5. Tempo Comum: aprofundar as
ações de Jesus | 214
      3.6. A vida dos santos e santas,
virgens e mártires | 217

Conclusão | 221

PREFÁCIO
Junto à fonte

Vivemos estes tempos contemporâneos a nos desvelar horizontes que a muitos faz vacilar em suas certezas. As pessoas se chocam com o imprevisível e se desorientam até mesmo em sua prática de Fé. Eis-nos, como missionários redentoristas, face a um salutar desafio evangelizador. Em questão a apropriação pessoal da Fé por meio de uma espiritualidade eficiente, concedendo tempo à escuta do novo que ela é e pode ser. Mt 13,52. Persiste a impressão que ser seguidor de Jesus de Nazaré, como Igreja, é uma insignificância ou atraso. Tempo é chegado de abandonar seguranças. Tempo é chegado de descobrir progressivamente e de maneira pessoal Deus e Jesus Cristo e os ritos de nossa Fé. Para um bem vivê-la nas atividades cidadãs. Nesta cultura que desafia a vivência cristã ler o livro do Padre Rogério Gomes, missionário redentorista, coloca-nos junto à Fonte que canta: "Vá em direção a si mesmo, à luz do amor de Deus".

As águas transparentes desta Fonte, o livro, fluem em direções bem definidas. Multiplicam-se os afluentes num espraiar inesperado. A cativante beleza que leitoras e leitores, peregrinos de si e do Deus da Vida, reencontram ao redor da fonte é inesquecível. Deveras trata-se de um (re)descobrir e (re)encontrar a si no Mistério de uma vida movida na Fé, no amor solidário. Reencontro que faz o coração arder.

O texto flui, variando de ponto a ponto. E a profundidade também varia, repleta de ressonâncias bíblicas. Convite a cada coração sincero de tornar-se aprendiz da arte de crer, amar e servir, liberto e livre e feliz. O próprio texto é uma forma de meditação que leva ao tempo real da história pessoal, que igualmente flui sem cessar. Há que se ir processando o que acontece com o leitor, mobilizado, provocado a se redefinir. Qualquer veio desta fonte conduz à revisão do Ser e do Crer: o silêncio, o retiro, a oração. O ano litúrgico.

Este livro do Padre Rogério Gomes é para todos os que buscamos "essa saudade de Deus e de nossa espiritualidade", como ele mesmo escreveu. Um escrito mistagógico a nos introduzir no Mistério da Vida, do ser e coexistir, do apostar com Deus a própria história como história de Salvação. Sempre à procura. Escrito para quem sabe que há propostas que são pró-cura. Copiosa redenção.

Este seu livro, Padre Rogério, tonifica o sujeito humano, criado criador, e lhe propõe discernir a boa utilização dos caminhos a percorrer, abraçando um itinerário de fato espiritual. Um itinerário para a Fé que nos propicia a reinvenção de nós mesmos. Seu livro, confrade, é a narrativa de experiências redentoras. Uma convocação à vida em confidência consigo próprio, com o Deus revelado, com os outros, com o Universo. Que poder possui seu livro de chamar à beleza das ressignificações do viver hoje! Clamor por transfigurações. Por transformações. Como é relevante, nas atuais circunstâncias, (re)aprender a peregrinar desde a Fonte e a seu redor. Como faz bem retomar a alegria de ser discípulo, aprendiz. Gostar de ser ensinado por Deus.

Que cada leitora e leitor comece sua peregrinação. Estará desde a Fonte com uma profusão de correntezas e remansos a serem explorados. O guia é seguro e sábio. Guia inspirador. Rompe com esquemas esclerosados e repetitivos e relança cada qual à sua reinvenção no viver a Fé, a mesma de Jesus de Nazaré, o Cristo Senhor. O murmúrio das águas batismais ressoam o tempo todo. Livro para se ler com os ouvidos do coração.

Como o autor começou, termino: "Assim, a nossa vida espiritual, a busca de nos conhecermos e o nosso comportamento com a realidade é a nossa carta amorosa a Deus de cada dia".

Pe. Dalton Barros de Almeida, C.Ss.R.

INTRODUÇÃO

Este pequeno livro de espiritualidade é um itinerário meditativo que visa o crescimento espiritual. Trata-se de experiências de encontro com Deus, com as pessoas, bem como de oração pessoal. O que escrevo não é um tratado sistemático de espiritualidade nem tem esse objetivo, mas sim compartilhar a ternura de Deus que experimento na vida a partir do meu modo simples de meditar e de rezar, a de um Peregrino que não caminha sozinho, e conta com a força de Deus e de outros Peregrinos que ousam caminhar na estrada da fé. Pensando nisso, decidi sistematizar essas linhas sem elucubrações filosóficas e teológicas, de modo que pudessem entrar no coração inquieto, onde somos quem somos, e onde acontece o profundo encontro com o Senhor que caminha conosco. Posso dizer que este texto brotou da oração da vida e da iluminação do Espírito. Partilho estas intuições no intuito de ajudar no aprofundamento da vida mística, que se constrói a cada dia de pequenos fragmentos para formar um mosaico que se completa quando formos chamados para junto de Deus.

Para desenvolver um itinerário espiritual é necessário pôr-se a caminho e se tornar um Peregrino para buscar na vida o essencial das coisas e aprender com ela. Não se atinge uma mística profunda sem buscar o encontro consigo mesmo, com o outro e com Deus. Quem não busca se descobrir e se encontrar consigo mesmo não conseguirá encontrar-se com o outro e muito menos com Deus. A 1Jo já nos relembra que é mentiroso quem diz amar a Deus e despreza o irmão. "Se alguém disser que ama a Deus, mas odeia seu irmão, é um mentiroso. Pois quem não ama seu irmão, a quem vê, não pode amar a Deus, a quem não vê. Este é o mandamento que dele recebemos: quem ama a Deus, ame também seu irmão (1Jo 4,20-21). É na busca de Deus que se conseguem novos caminhos, descobrindo-se a cada dia, na dimensão da alegria pascal, na profunda liberdade interior, mesmo diante dos sofrimentos da vida. A vida é dinâmica e não podemos ficar estáticos lamentando apenas as dificuldades, é preciso ter em mente a esperança redemptiva e transformadora. Essa compreensão advém da luz de Jesus Cristo que irradia em nosso cotidiano.

Há pessoas que se fixam na dimensão da fragilidade, do pessimismo e do medo e assumem para si somente a realidade negativa da vida ou a crença no lado obscuro que cada ser humano possui. É fundamental a descoberta das próprias qualidades. Temos defeitos, sim, no entanto, é preciso resgatar o nosso lado divino, criativo que faz a vida acontecer a cada momento. É importante refletir sobre as pedras do caminho, pedir perdão e jamais se esquecer de que a misericórdia possui a amplitude englobante de nossa vida e é muito maior do que nossos limites. Essa reflexão nos liberta à medida que meditamos profundamente sobre nossa existência e a contemplamos no horizonte da fé, da esperança e do amor, tendo mãos abertas e coração generoso, em comunhão amorosa com o Cristo Redentor, Caminho, Verdade e Vida. Nesses termos, a construção do itinerário espiritual e o cultivo da espiritualidade são instrumentos que nos permitem dar respostas sensatas e coerentes em nível existencial e de fé.

Para iniciar este percurso gostaria de dar uma simples e breve definição de espiritualidade como manifestação do Espírito na existência humana. Assim, o primeiro efeito é a metanoia, a mudança de coração e de mentalidade. É um caminho de liberdade, de encontro e desenvolvimento da mística, porque a pessoa dela dotada é capaz de, mediante a historicidade e os acontecimentos, ter força para levar a cabo seu itinerário de vida, diante do sofrimento curar suas feridas e, mesmo assim, transmitir aos caídos a esperança de continuar, encontrando força nos aspectos centrais da vida de Cristo, a Encarnação, seu anúncio profético-libertador, sua Paixão, Morte e Ressurreição. Assim sendo, a espiritualidade profunda é trinitária, porque possui a força criadora do Pai, o amor redentor do Filho e a pulsão amorosa, transformadora e consoladora do Espírito Santo.

A vida espiritual é um caminho de sabedoria, de autoconhecimento e de intimidade com Deus, no qual é necessário um profundo contato com a sua Palavra, meditá-la, contemplá-la pessoal e comunitariamente e ser íntimo com o Cristo Eucarístico. É um caminho para se compreender o humano e se humanizar. A pessoa que a cultiva é sensível aos pequenos detalhes que se lhe apresenta e são nesses detalhes cotidianos que Deus se manifesta. Ela desperta o ser humano para tudo aquilo que acontece ao seu redor. É fonte de fé, de esperança, de caridade, de louvor, de refletir sobre o mal, sobre o nosso ser, enfim, é fonte de discernimento e de sabedoria.

As reflexões apresentadas neste texto são curtas e não são desvencilhadas uma das outras. Trazem pistas que possibilitam intensificar a vida espiritual. Este itinerário só se constrói à medida que se tenha alguns instrumentais e se deseja caminhar. "Caminhante, não há caminho, Se faz caminho ao caminhar" (A. Machado). Certamente depois de qualquer meditação, terá vontade de criar o seu próprio itinerário espiritual. Não é difícil, só depende de você! Para ajudá-lo(a), apresento-lhe, inicialmente, um pequeno roteiro preparatório que facilitará o desenvolvimento desse processo. São onze passos importantes para a nossa peregrinação interior. Medite-os com muita tranquilidade e coloque-se a caminho...

1. Escolha um local que se sinta bem, que lhe proporcione paz. Faça dele o seu santuário, o seu oásis, a sua montanha, o seu templo, o seu local de encontro com o Senhor!
2. Reserve para si um momento para a intimidade com Deus durante o dia ou a noite. É importante que essa hora lhe possibilite tranquilidade. Não importa o tempo, o essencial é sentir bem ao fazê-lo. Se isto não é possível, crie-o onde quer que esteja, seja no ônibus, no trem, na viagem. Oração não é só uma questão do tempo, é predisposição para fazê-lo.
3. Caso não tenha tempo, nem disponibilidade de espaço físico, escolha um versículo bíblico e o mentalize. Repita-o interiormente quantas vezes sentir vontade, fazendo-o como mantra ou jaculatória. Por exemplo: "O Senhor é meu Pastor nada me faltará!" (Sl 23,1), "O Senhor é minha luz e salvação: de quem terei medo?" (Sl 27/26,1). São modalidades de oração que nos ajudam a espiritualizar o nosso dia e as nossas ações.
4. Deixe e se sinta amado(a) por Deus, deixe-se tocar e seduzir-se por Ele. O profeta Jeremias nos deixa uma pista: "Seduzistes-me, Javé, e eu me deixei seduzir; vós me dominastes e prevalecestes" (Jr 20,7). Esta atitude gera confiança interior e auxilia na concentração.
5. Tome consigo as Sagradas Escrituras. Não há como cultivar a vida espiritual sem contato com a Palavra de Deus de modo intenso. Em sintonia orante, medite: "Lâmpada para meus passos é vossa palavra e luz em meu caminho" (Sl 119,105).
6. Proponho para esse percurso o método da *Lectio Divina* (Leitura Orante). Este método orante proposto pela Igreja, a partir da vida monástica, consiste em *lectio* (leitura): entrar em contato com o texto. Devemos lê-lo, percebendo os personagens, suas ações por meio dos verbos,

observar as expressões e as palavras significativas do texto. Após termos lido e relido o texto, passa-se a *meditatio* (meditação), o momento de saborear o que se leu, ou seja, ruminar o texto, versículo por versículo, e sentir o toque divino no coração, por meio do diálogo com a sua Palavra. Deve-se perguntar ao texto bíblico: o que essa Palavra diz? Para isso é importante o silêncio. A terceira etapa, *oratio* (oração), momento de transformar a Palavra de Deus em oração, podendo ser esta de louvor, de petição ou de ação de graças. É o momento de fazer da oração, a oração de Jesus feita ao Pai. Por fim, a *contemplatio* (contemplação), hora de contemplar o mistério de Deus que se revela a nós, através da criação, da manifestação e da sua ação na História da Humanidade. Como se dá a contemplação? Através da adoração, do louvor, do agradecimento, no experimentar Deus na totalidade de nossa existência. Contemplação é atitude de sabedoria!

7. Se houver possibilidade, faça um caderno ou diário espiritual. Anote suas experiências após a oração. Não importa se conseguiu ou não orar e atingir píncaros extasiantes. Busque vivenciar todos os momentos, os de consolação e os de desolação. Este diário é importante, porque poderá fazer sempre a memória da oração anterior bem como perceber a própria evolução na vida espiritual e, ao mesmo tempo, ir construindo o próprio itinerário orante.

8. Se tiver oportunidade, partilhe a sua experiência oracional e o seu itinerário espiritual com outras pessoas: familiares, amigos, com a sua comunidade de fé. Isto possibilita o enriquecimento de si mesmo e também do outro. A experiência de Deus não é para ser trancada em um baú interior, é fonte de água pura para todos beberem.

9. Não tenha medo de explorar as diversas modalidades de oração: petição, louvor, agradecimento. Deus as escuta e as acolhe em seu coração. Nesse sentido, os salmos nos apresentam tantas possibilidades. Também nós, com nossas palavras simples que brotam do coração, podemos criar nossas orações pessoais.
10. Busque momentos de silêncio, cultive-o em alguns momentos de sua vida. Silenciar é uma atitude de sabedoria! "Calar é a arte de saber desprender-se para descobrir em si um outro fundamento, isto é, o próprio Deus".[1] Hodiernamente, o silêncio é tão desvalorizado. Além de ser elemento importante ao crescimento espiritual, renova as forças, as energias, combate o cansaço mental, o estresse e reanima a caminhada novamente. Antes de tomarmos decisões em nossa vida, é necessário silenciarmos para ouvirmos a voz de Deus e da nossa consciência para que as nossas ações sejam sábias.
11. Busque contemplar a realidade e rezá-la. Rezamos com a realidade que experimentamos no nosso cotidiano! A oração não deve ser distante das situações complexas da vida, principalmente as de sofrimento, de injustiça e as de morte. O místico é aquele que transforma tudo isso em oração e tira as forças para a ação, lutando para que o ser humano tenha mais dignidade.

Ao longo do tempo isto se transforma em hábito e começamos a perceber que a experiência espiritual nos conduz a uma libertação interior. São muitas coisas de que devemos nos libertar: dos condicionamentos de nosso ser, das marcas do passado, de traumas, dos sentimentos feridos e mais: mui-

---

[1] GRÜN, Anselm. *O Céu Começa em Você*: a sabedoria dos padres do deserto para hoje. Petrópolis: Vozes, 1988, p. 63.

tas vezes, de nosso próprio conceito de Deus, que pode ser tão negativo e distante, resultante da catequese que tivemos ou da relação familiar com nossos pais. É importante abandonar, se a temos, a imagem de um Deus castigador que nos amedronta. Deus é amor, isso nos basta! Nesse sentido, a espiritualidade como conhecimento de si mesmo, do outro e de Deus nos provoca e convida a fazer o caminho inverso.

É bom lembrar que espiritualidade se encontra na dimensão da gratuidade Deus-ser humano e não é panaceia para solucionar problemas, como algumas pessoas a concebem, mas dá sustentação, força interior para superar nossas fragilidades e esperança de mudança, quando nos deparamos com os dramas da vida. Não se trata de uma busca de perfeição, sim de um estágio de equilíbrio, que garanta lidar com a vida de forma mais leve e qualitativa e, nos momentos mais agônicos, saber esperar e não ficar inerte, buscar soluções e querer sempre crescer. Trata-se de ir aos poucos se libertando de condicionamentos, traumas, seguranças somente calcadas em um passado – com suas cinzas ou os pesados fardos que vamos ajuntando em nosso caminho – resultantes de nosso processo histórico e que aos poucos devemos ir nos libertando, sem nos esquecer de nossas raízes históricas. O ser humano é um *homo viator* dentro de si mesmo, carrega um mistério denso e pode elevar a sua própria vida a um estado de plenificação em relação a si, aos outros, ao mundo e a Deus.

O itinerário proposto em cada capítulo do livro quer ser um instrumento mistagógico para ajudar cada um a descobrir sua própria estrada e fazer a sua própria peregrinação interior, num encontro profundo e significativo consigo, com o outro e com Deus.

I

TORNAR-SE PEREGRINO DE SI MESMO

A VIDA ESPIRITUAL é um caminho de autoconhecimento, que se desenvolve no decorrer da vida e se inicia no momento em que cada pessoa toma consciência da importância da espiritualidade em sua existência e se propõe a elaborar e a percorrer um itinerário com a finalidade de otimizar sua relação com Deus, consigo, com o outro e com o mundo. Então, para introduzir o(a) leitor(a) nesse processo de peregrinação interior, inicio a reflexão deste capítulo, contando uma breve história, fruto de uma semana de meditação e de oração. É uma síntese do que experimentei e passo a desdobrar como um convite pedagógico à meditação e ao autoconhecimento.[1]

Eis a história:

O sol ia se pondo preguiçosamente. O Peregrino pôs-se a caminhar. Pensava sobre o que iria levar nessa longa viagem. Uma voz interior lhe dizia para preocupar-se apenas com o essencial das coisas. Então, ele começou a refletir sobre aquilo que lhe era essencial. Tomou duas sandálias,

---

[1] Esta pequena história nasceu em 2001, durante as minhas meditações pessoais, num retiro em Ponta Grossa, PR.

comida em abundância, uma barraca para dormir e outras coisas mais. Quando pegou o saco de viagem percebeu que estava muito pesado e não podia andar. Indagou novamente acerca do que era essencial e viu que aquilo que levava não era necessário... Jogou fora tudo o que não lhe era útil!

Pegou novamente sua pequena bagagem e colocou as Sagradas Escrituras e o pão. Tomou um bastão de madeira e o seu par de sandálias. Sua sacola estava leve e ele podia caminhar. Tinha encontrado o que lhe era essencial à viagem e havia conseguido a desprezar aquilo que lhe era inútil.

Mirou o seu olhar ao horizonte e continuou a andar por longas estradas. O dia findou e ele caminhou longamente pela noite escura com muito medo e incertezas. Ao amanhecer contemplou o sol e continuou a peregrinar. O sol tornou-se causticante, então, decidiu recostar em uma árvore e se deparou repentinamente com uma velha amiga chamada *História Pessoal*. Sentiu profundamente o apelo de sua amiga que lhe pediu para que a escutasse, pois havia tanto tempo que não a visitava e tanta coisa havia ocorrido. Ele abriu o Livro e encontrou o alimento para saciar a fome: "antes que te formaste eu te chamei pelo nome!" (Jr 1,5). Partilhou com sua velha amiga a própria vida, seus fracassos, suas conquistas, suas feridas e reconciliações. Ao fim, despediu-se dela e continuou a sua estrada. O sol estava muito quente. Olhou para o céu e viu as nuvens correrem tresloucadamente. Elas iam, vinham e desapareciam. Ao vê-las, o Peregrino meditava em seu coração sobre a fugacidade das coisas (cf. Ecl 1,1-2).

Ao longo da estrada, encontrou um casal difícil de ser compreendido – o *Ser* e a *Existência* – falavam sempre uma linguagem difícil e, muitas vezes, não conseguiam se expressar adequadamente. Pararam à beira do caminho por um bom tempo e partilhavam as próprias histórias e falavam do jeito de ser e da manifestação da existência de cada um, com seus defeitos e suas virtudes. Então ele os compreendeu. Partilhou com eles um pequeno texto do seu livro sagrado: "Senhor, tu me sondas e me conheces. Conheces o meu sentar e o meu levantar" (Sl 138,1-2) e pôs-se a caminhar...

Após uma pausa e ter comido um pedaço de pão para aliviar a fome, começou a olhar ao seu redor e vislumbrava tudo aquilo que o cercava. De repente, começou a ouvir vozes e tinha impressão que muitos seres estavam a sondá-lo e muitos olhos a olhá-lo... Era o encontro com a *Criação*, alguém que lhe falava muito da diversidade das coisas e das maravilhas de Deus. Sentou-se com ela e contemplava a sua beleza. Interpelado por aquela companheira, abriu o Livro das Origens e pôde compreender o sonho de Deus para o mundo. Dialogando com tudo ao seu redor, proclamou-lhes um pequeno texto do seu livro sagrado: "E Deus viu que tudo era bom" (Gn 1,10.18.21.25.31).

Ele já havia andado muito, mas a viagem era longa e não podia permanecer parado por muito tempo. Apesar do cansaço e dos pés calejados continuou a caminhar por uma estrada íngreme, cheia de curvas. O sol ia se pondo... e a penumbra fazendo-se presente, e ele começou a ficar ansioso, pois havia muitas trilhas desconhecidas e ele tinha medo de ser perder. Viu uma luz que irradiava de um casebre. Decidiu-se dirigir até lá e pedir estada por uma noite. Naquela pequena casa morava a família dos *Sentimentos*. Era uma família enorme, com tanta gente diferente. Ao chegar, notou que alguns ficaram muito felizes, acolheram-no alegremente e foram simpáticos; outros tímidos, indiferentes e alguns até rejeitaram a presença dele, não lhe dando nenhuma atenção. Percebeu que em sua pessoa havia um pouco de cada um daquela família. Convidaram-no para jantar e ele partilhou com eles o pão. Tomou da sua sacola o Livro Sagrado e passaram a noite rezando os Salmos. O sol nasceu e ele se colocou a caminhar...

No dia seguinte, começou a subir uma montanha. As estradas esburacadas e cheias de pedras machucavam os seus pés. Pensou em desistir. Entretanto, se quisesse chegar ao seu destino teria que passar por aquele caminho. Subia à montanha, quando encontrou um homem esfarrapado, marcado por feridas, cicatrizes e no seu olhar, ao mesmo tempo, a alegria e a tristeza. O Peregrino perguntou o seu nome e ele lhe disse que se chamava *Sofrimento*. A história dele comoveu o Peregrino que se emocionou e começou a chorar. Então, o Sofrimento pediu licença, abriu o saco que o Peregrino trazia e começou a ler para ele as Bem-Aventuranças, consolando-o. Depois disse para ele peregrinar em paz...

Daquele lugar, continuou a atravessar a montanha. Começou a rememorar todos aqueles personagens que encontrou pelo caminho e o que cada um lhe tinha dito. Sentia um fogo arder em seu coração. Buscava uma resposta para o que sentia, e não encontrava. Em seu coração havia uma certeza: na estrada iria encontrar alguém muito especial. Sentou-se sobre uma rocha e se pôs a meditar. Após longo período de contemplação, envolvido por uma força que agia sobre ele, sentiu-se profundamente amado. Naquele momento estava acontecendo um profundo encontro de sua pessoa com *Deus*. Algo indizível, que o preenchia e o fazia sentir extremamente amado. Sentiu uma paz profunda, uma tranquilidade que nunca havia experimentado e abastecido para continuar a viagem. Havia encontrado ali o essencial de sua vida... e continuou a caminhar em silêncio até encontrar um lugar para fincar a sua tenda.

Depois de certo tempo, ele se levantou e sentiu que era hora de voltar para a casa. Já durava uma existência sua viagem... Tomou a sacola, o bastão e a estrada para regressar à casa. Sua bagagem agora estava cheia de experiências e encontros significativos que havia feito ao longo do percurso. Havia em seu coração uma nostalgia e um desejo de agradecer por tudo. Ele fez um grande louvor a *Deus*. Abriu as Escrituras e elevou um hino pelos prodígios divinos ao homem. Descendo da montanha meditava em cada palavra e agradecia por tudo.

Retornando para a casa, refletia sobre as experiências feitas que marcaram sua existência e tinha a memória agradecida pelos encontros significativos que teve. Em seu saco de viagem estava o essencial de cada encontro e a memória significativa de cada pessoa, realidade possível, porque foi capaz de abandonar o que lhe era inútil. Pensando nas lições que tinha aprendido ao longo da estrada, o Peregrino continuou o seu percurso e encontrou um sujeito estranho que nunca havia visto. Ele o cumprimentou. O desconhecido disse que lhe conhecia e havia visitado muitos de seus parentes. O Peregrino lhe perguntou o nome e ele se apresentou como *Morte*. Sentiu um medo profundo! Então, a Morte o convidou a percorrer um caminho desconhecido. Lembrou-se do encontro que teve com o Senhor e de que era um Peregrino. Uma luz lhe veio à mente, sabedoria de Deus, e lhe dizia: "nossa vida passa como rastro de nuvem, e se dissipa como neblina expulsa pelos raios do sol e dissolvida pelo seu calor" (Sb 2,4). Fechou seus olhos e percebeu que o essencial da vida estava em ser Peregrino neste mundo e viver com intensidade cada momento, fazendo o bem, numa profunda comunhão com Deus, numa existência autêntica rumo à casa do Pai, entregando-se totalmente a Ele. Antes de fechar os seus olhos para sempre e continuar para as veredas da eternidade, o Peregrino, reconciliado consigo, percebeu que suas mãos estavam cheias e ele entregou o seu saco de viagem e se foi...

Esta pequena história é para introduzir o(a) leitor(a) à experiência da peregrinação. A atitude de quem almeja progredir espiritualmente é despojar-se de tudo aquilo que o impede de crescer interiormente e, para isso, é necessário uma viagem interior que se dá no íntimo da vida e confronta com diversas realidades pessoais. É impossível alguém se tornar um místico se não conhece a própria interioridade. Esse processo é árduo, possível à pessoa que se lança nos braços do Senhor. Vários santos viveram em primeira pessoa tal realidade. João da Cruz nos traça o itinerário do *Monte Carmelo*, Teresa d'Ávila do *Castelo Interior*. Seja como for, esse processo é essencial, porque é através dele que se adquire a maturidade espiritual.

O relato do Peregrino nos leva a questionar sobre o nosso encontro interior e os seus desafios. Pudemos verificar o longo caminho que ele teve que percorrer. Só se põe a caminho quem tem o interesse de andar, mesmo que seja só por caminhar. É no caminhar que se dá o grande encontro! Um relato paradigmático é o dos discípulos de Emaús (Lc 24,13-35). É no caminho que fizeram a experiência do encontro-confronto com o Senhor, da lembrança, da *anamnese* e do memorial daquele partir do pão, conforme veremos em um dos capítulos.

Considerando a história do Peregrino, aprofundaremos sobre os elementos que nos deparamos ao longo da história.

1. A história pessoal como história de salvação

A reflexão sobre a vivência espiritual jamais deve ser desencarnada da própria realidade histórico-pessoal. Se isso ocorre, teremos uma vida interior que não responde aos apelos suscitados pelos desafios da própria vida. A espiritualidade deve ser encarnada, isto é, torna-se carne, no momento em que assumimos a nossa história pessoal e a dos outros como lugar da manifestação de Deus. Por isso, na história pessoal de cada um existe a dimensão profunda da criação, da história de salvação, da abertura ao outro, ao transcendente e de valores.

Quando o ser humano começa a tomar consciência de si, de modo mais profundo, surgem-lhe as perguntas fundamentais: quem sou? De onde vim? Para onde irei? Desde que se percebe como ser dotado de inteligência, ele perscruta sobre o mistério de si mesmo. Quem sou? De onde vim? São indagações que colocam o ser humano a caminho na perspectiva de abertura e da busca do mistério de si mesmo. Portanto, o ser humano é um ser a caminho e sempre desejoso de perscrutar o mistério. Quem sou eu? É a grande pergunta que continua sempre a ser feita. Em outros termos, é a busca humana de tentar amarrar as pontas do próprio mistério.

Nessa busca de responder à pergunta originária, a cosmovisão bíblica tenta dar sua resposta: Deus cria o universo e o ser humano (Gn 1–2). Ao narrar a criação, quando se apresenta o ápice da criação, o ser humano, há uma litania que sempre se repete: "Deus viu que isso era bom" (Gn 1,10.12.18.21.25). Esse refrão é uma poesia que norteia a obra de Deus. Se partimos do pressuposto da onisciência de Deus, antes de criar, Ele já sabia da sua obra. No entanto, na ordem da onisciência divina, Ele se coloca como contemplativo. É como se a cada ato da criação Ele louvasse por aquilo que nasceu e festejasse a própria obra. Há um detalhe: em todo o texto de Gn 1 afirma-se "Deus viu que era bom", todavia, é em Gn 1,31 que há algo diferente: "Deus viu o que tinha feito: e era *muito* (*me'od*) bom". Este advérbio hebraico evoca sobre si a ideia de uma força, de potência e de intensidade qualificando o criado, dotando-o de extrema beleza.

Portanto, Deus viu que era muito bom criar a natureza e o ser humano e abençoar tudo com a sua força. Era muito bom, pois o Criador colocava um ser caminhante que, desde o princípio, perscrutava pelo mistério de si mesmo com suas perguntas fundamentais. É o humano, e tão somente ele, com sua história e suas vicissitudes, interrogando-se. É da ação criadora de Deus, que faz homem e mulher a sua imagem e semelhança, que se evocará a dimensão da historicidade. Todos os seres possuem historicidade, e somente o homem e a mulher são capazes de dar sentido a sua história. É a partir das perguntas, das significações e das transformações que a história avança, e é nela que o ser humano se encontra. Somente Deus é a-histórico porque é eterno, e mesmo assim, assume em si a história ao se encarnar no ventre de Maria e viver sua plena humanidade, com suas alegrias e dores. Se Deus escolhe a carne humana e a história, é porque ele viu que era *muito* bom. E é na historicidade humana, com suas surpresas, que experimentamos Deus.

Esta perspectiva nos ajuda a retomar nossa história pessoal como história e horizonte de salvação. Ao assumi-los, entramos em nossa carne e, a partir dela, podemos dar sentido às coisas. Diferentemente de Deus, a única opção que temos é nos encarnarmos em nossa própria carne e, a partir dela, encarnarmos em Deus e, consequentemente, experimentaremos que se encarnar na vida divina é muito bom. Em outras palavras, é dentro de nossa carne que somos redimidos e nos salvamos!

Deus ao criar, abençoa e salva. Na nossa história pessoal, quando tomamos a nossa história nas mãos, interrogamo-la e fazemos as nossas perguntas fundamentais, buscamos no mais profundo compreender a dimensão dos nossos próprios mistérios. E é esse mistério insondável que nos faz sermos seres a caminho também potenciados para recriar, abençoar e salvar. Não somos seres desencarnados e a-históricos, possuímos uma história de vida e, nela, com a força criadora-salvífica de Deus nos salvamos. Por isso, é importante cuidar de nós mesmos, cultivando-nos interiormente para que o nosso agir seja humanizante. Desprezar

I. Tornar-se peregrino de si mesmo

o nosso passado, os acontecimentos, mesmo que trágicos, é desprezar parte de nossa história. Há situações de profundos traumas, e não podemos esquecê-los, devemos resignificá-los. Isso nos permite integrar as dores, eliminar os rancores, reelaborar os fatos, perdoar a si, aos outros e continuar a história sem angústias e feridas. Assim, a história pessoal é o baú que cada um carrega, essencial para a viagem. Nele há tantas coisas: o essencial e o supérfluo, coisas permanentes e passageiras, riquezas e pobrezas... mas é nele que está também o nosso mapa salvífico, o nosso tesouro. É nesse mapa que encontramos as digitais de Deus e sabemos que somente ele nos conhece e nos ama profundamente.

Cada pessoa é um universo e é marcada pela sua irrepetibilidade. Nem mesmo os gêmeos univitelinos são idênticos, podem ter alguma semelhança física, de caráter, em aptidões, e se constituem um cosmos independente com suas leis, caminho próprio e a constituição de uma história própria. Do mesmo modo, a história pessoal também pode ter suas coincidências, no entanto, a vivência, a reação e as respostas diante de cada fato são profundamente individuais. Diante do mesmo fato, cada um pode ter percepções diferentes e isso depende da bagagem psicológica, cultural, emocional, dos limites e do contexto da experiência. O mesmo ser humano pode responder de maneiras diferentes e até contraditórias a um acontecimento e surpreender aos seus caros. A resposta que damos cotidianamente sempre vem carregada de uma surpresa e de um mistério que nem sempre somos profundamente conscientes. Por isso, é importante, diante de certas respostas, procurar sempre compreender a realidade do seu entorno.

Esse universo que somos possui a sua história. Cada um de nós carrega no próprio corpo as marcas da temporalidade, a partir do momento em que se formaram as primeiras células vivas em nossa concepção. É nesse corpo dado a cada um, que nos abrigamos para realizarmos a aventura de viver e, nele, ser o inédito surpreendente que constrói a história. Nosso corpo é tenda histórica com as portas abertas para a eternidade, na qual concluiremos o inédito do nosso ser sem abandonar a originalidade de cada marca da história assinalada no próprio corpo que construiu o belo mosaico de cada ser humano.

Certamente há muitas pessoas que se queixam da vida, pois acreditam que não possuam uma bela história pessoal. Porém quando se torna Peregrino nos caminhos da própria existência se pode encontrar oásis de beleza ou pequenas pérolas, que nos tiram da sensação de que estamos apenas cumprindo uma etapa existencial rumo ao um futuro incerto ou a uma mera fatalidade do destino. Não está descontado que não encontraremos desertos extremamente inabitáveis, sombras e experiências de não vida dentro de nós. O que não podemos abandonar é a convicção de que nossa história é importante. Sem ela, não chegamos ao nosso destino final...

Cada história é única e importante e cheia de significado que é atribuído por nós mesmos e por aqueles que nos rodeiam. Talvez aqui se encontre a confluência das decepções. Se alguém espera a atribuição da sua importância no mundo por parte de outros apenas constrói a casa sobre a areia. Pode ser que essa história seja reconhecida por interesses econômicos, políticos, sociais, estéticos, de bondade... É importante para cada pessoa ser reconhecida, mas se o primeiro reconhecimento não provém da convicção de que a própria história pessoal é única e importante por si mesma, quando se abatem as intempéries da vida e levam os reconhecimentos atribuídos, corre-se o risco de permanecer apenas com o simulacro de um ser que não acreditou em si e dependeu sempre da sombra de um outro que lhe atribuiu determinado valor, e não foi capaz de despertar o autorreconhecimento pessoal, permanecendo apenas naquele reconhecer que pode ser apenas artificioso e usurpador por um tempo e depois abandonar.

Embora algumas coisas não possamos mudar, pois se encontram no passado e causam sofrimentos, devemos ser desse passado conhecidos e não estranhos. Negar o passado significa negar parte das próprias memórias, ainda que dolorosas! O presente se constrói, à medida que depositamos nele toda a ânsia de crescimento interior, tendo a consciência de que o já-agora não retorna jamais. Não somos seres jogados neste universo, simplesmente. Cada um de nós vive num espaço, num tempo e somos frutos de uma cultura. Somos seres situados. Temos uma história – *kairós* – que deve ser vivida intensamente, construída a partir da solidez e da crença na vida. O *kairós* é o tempo para sermos quem somos, na autenticidade do nosso ser. Essa autenticidade só ocorre à medida que nos conhecemos cada vez mais. Somos seres misteriosos a nós mesmos e ao outro. A autenticidade pode ser iluminada pelo passado que nos ajudará a compreender a nossa realidade. O futuro está na perspectiva do sonho. É a imagem do horizonte que visualizamos e a cada passo ele se torna distante. Mas o desejo de tocá-lo nos faz caminhar... Se conseguíssemos deter o futuro, tomaríamos a nossa existência nas mãos.

A nossa história pessoal não se constrói sozinha. Depende de outros. Para existir dependemos de nossos pais, para vivermos em sociedade dependemos de uma infinidade de pessoas. A partir do momento da concepção, já começamos a nos relacionar com um mundo, pois desde o ventre materno temos percepções. Ao vermos a luz, outra realidade se descortina. A relação eu-mãe-pai amplia-se e se abre uma vasta gama de relações. Nas relações nos transformamos. Damos e recebemos alguma coisa, positiva ou negativa. E nesse conjunto de interação nossa história vai se recriando cada dia e tornando-se pascal. Quantas vezes pensamos na pascalidade de nossa história pessoal? Quase nunca!

Se tomamos a história do Povo de Deus ao longo do deserto (Êx 3,1-18), veremos que também nós fazemos tal percurso: opressões, murmurações, libertações, páscoas... O povo só não se perdeu, porque foi capaz de experimentar a si mesmo e o outro a partir de uma identidade, de um ideal, a libertação. Se cada um tivesse sido egoísta seria uma história de fracassos, de perdição... Nessa travessia todos perceberam a intervenção criadora de Deus e, juntos, puderam experimentar a força solidária do outro e ver que ela era algo *muito bom*. Isto significa que o outro nos ajuda na construção de nossa caminhada espiritual e na nossa história de salvação.

A história pessoal é aberta ao encontro. Esse encontro além de ser entre pessoas, também é com o transcendente. Assim, a história humana é aberta ao infinito de Deus. É na abertura ao mistério infinito de Deus que o mistério humano encontra ressonância e será compreendido na sua totalidade. Somente Nele, teremos o alfa e o ômega de nossa história pessoal. E somente Nele, nossa história humana terá continuidade além desse mundo, na pascalidade do Senhor. Assim, Deus viu que era muito bom a história humana e pela sua bondade criadora, já somos eternos no coração Dele. A nossa história pessoal – além de ser abertura ao Transcendente – pode ser transcendente. Isto não significa ser fora da realidade, ao contrário, significa encarnação em nós e na realidade do mundo com todos os seus desafios. Por isso, pode ser redentora e mística!

A história pessoal de cada pessoa não é sem sentido. Nenhum ser humano foi criado para não construir a si próprio. Cada um toma nas mãos a sua realidade e se torna responsável por ela e dela pode fazer uma história de salvação ou de perdição. Obviamente, que existem fatores externos importantes e condicionantes: políticos, sociais, religiosos, econômicos, psicológicos que influenciam na vida humana, no entanto, a dignidade de assumir a história nas mãos é algo que somente a pessoa pode fazer livremente. Devemos considerar que, além de sermos responsáveis pela nossa história pessoal, também somos responsáveis pela história de salvação do outro.

A realização dessa história, dentre tantas coisas, concretiza-se pelos valores: humano-espirituais e ético-morais. Eles são a forma como transformamos a nossa história pessoal e contribuímos para o crescimento social. É nesse encontro que nos transformamos e evocamos a dimensão criativa de Deus. Deste modo, a retomada da história pessoal como história de salvação e de abertura ao outro, e também de comunicação e recebimento de valores, permite-nos contemplar a vida e dizer com o coração jubiloso: "Deus viu o que tinha feito: e era *muito* bom"!

2. O ser e a existência em busca de si e de Deus

A história pessoal de cada um de nós é possível ser escrita a partir do ser e da existência pessoal e comunitária. A grande indagação que brota nesse percurso é: por que estou no mundo? Qual a razão de meu ser e de minha existência? A nossa grande descoberta será quando encontrarmos na profundidade de nosso ser a razão de nossa existência. Não estamos neste mundo com a finalidade de apenas ocupar um espaço que está vazio no Universo. Somos seres que superamos muitos limites de nossa existência e do nosso próprio ser, não todos! É essa relação dialética que permite ao ser e à existência se completarem. Somos seres humanos e temos uma existência e nos cabe ter a plena liberdade de ser autêntica ou inautêntica. Nesse sentido, surge a importância da mística e da espiritualidade como uma pedagogia que nos leva a viver qualitativamente e a ser o que somos, na profundidade de uma existência que se transcende, quando superamos certos limites do próprio ser.

Dentre tantos presentes a nós concedidos por Deus está a vida. Cabe transformá-la e a cada dia recriá-la. Recriar a vida cotidianamente é trazer dentro de si a dinâmica criadora que Deus insuflou dentro do coração humano por meio do seu Espírito divino. É esta força que possibilita uma vida densa e aberta, colocando-o sempre como nosso companheiro na nossa história de salvação.

Santo Irineu (130-200 d.C.) afirma: "com efeito, se a manifestação de Deus, através da criação dá a vida a todos os seres da terra, muito mais a manifestação do Pai, por meio do Verbo, dá a vida a todos os que veem a Deus" (*Tratado contra as heresias*). A fé cristã nos diz que Deus é criador de todas as coisas, das visíveis e das invisíveis. Dentro da dinâmica da criação o ser humano apresenta essa característica de ser visível e invisível. Visível enquanto realidade que se manifesta, palpável, com todas as suas ações; invisível porque é mistério, embora, mistério no seu sentido originário é alguma coisa que aparece e se esconde.

O mistério humano terá parte de suas extremidades ainda por se manifestarem e, outras, confluídas em Deus, quando o ser humano saberá quem realmente o é. Desse modo, quando o cristão professa a sua fé em Deus, não faz somente uma adesão externa de ser pertencente a determinado credo religioso, mas é adesão profunda, que abrange todo o mistério humano. Nesse ato, está o desejo humano de experimentar a vida divina na vida humana. Assim, professar a fé cristã é ter sempre a saudade incontida de Deus, de onde viemos e para o qual um dia retornaremos; é professar que acredita no humano, em seu ser e existência, como lugar de manifestação do amor divino.

Essa saudade de Deus é a nossa espiritualidade. Quando amamos alguém, enviamos carta, flores e presentes. Fazemos alguma coisa para lembrarmos de quem queremos bem e sermos também lembrados de alguma forma. Em nosso relacionamento com Deus, isso se manifesta na construção do nosso itinerário espiritual e a nossa vida de oração, meditação, contemplação e ação. Essas são formas de cultivar o nosso amor a Deus. Assim, a nossa vida espiritual, a busca de nos conhecermos e o nosso comprometimento com a realidade é a nossa carta amorosa a Deus de cada dia.

Somos e existimos em Deus. Pensando de modo mais simples, significa dizer que a vida humana é direcionada a um fim último que é Deus, quem nos concedeu a vida. Ser-existir em Deus pressupõe dois elementos básicos: fé na vida e no ser humano. A fé na vida é fundamental para que o ser humano construa a sua própria história. Caso contrário, ao afrontar as diferentes intempéries da vida, incorreria no desespero. Vida aqui não é só uma realidade biológica, é também dimensão criativa humana, no seu processo existencial e relacional que se manifesta como dom e graça. A vida como dom e graça não é fechada em si. Aliás, é a partir dessa abertura que se pode relacionar com Deus e com os demais seres humanos. Então, essa fé na vida apoiada sobre dom e graça, fundamentada em Deus e na confiança no humano, faz-nos lançar a cada dia nas estradas do viver cotidiano com esperança transformadora e vivificante.

Acreditar no ser humano também exige ato de fé, começando a partir do crer em nós mesmos com as nossas fraquezas cotidianas. Conforme diz São Paulo: "quando sou fraco é que sou forte" (2Cor 12,10). Esse pensamento nos sintoniza na percepção de que o humano, com suas fraquezas e virtudes, é a condição dada a cada um para que exista. É na realidade humana que o ser humano deve se construir como pessoa, sabendo-se frágil e forte no amor ao seu semelhante. É a graça dada ao ser humano de manifestar a glória de Deus. Assim, pode-se dizer com Santo Irineu "a glória de Deus é o homem vivo, e a vida do homem é a visão de Deus".

A fé na vida e no humano nos faz pensar em Deus e, não nos escandalizemos, vai além de um credo religioso. Há pessoas que possuem uma profunda fé na vida e no ser humano, fazem de suas vidas uma doação profunda e afirmam não pertencer a nenhuma religião. Dão um testemunho ao mundo, possuem uma espiritualidade profunda. São pessoas que captaram na profundidade o existir em Deus ou acreditam profundamente no ser e na vida humanos.

Do ponto de vista da fé cristã não é diferente. Olhando para a história do Cristianismo, com todos os erros e acertos, nos momentos em que tudo parecia sem direção sempre apareceram pessoas que, por acreditarem na vida, no ser humano e em Deus, deram significado novo à história. Intuíram a realidade mistérica de existir em Deus. O nosso existir em Deus não é só realidade última – o nosso pós-morte – começa no "agora" da vida e significa uma conformidade com a vontade divina – deixar que Deus habite o templo humano que somos nós e nós Nele. Este existir em Deus nos dá uma realidade nova, permite-nos renovar sempre o nosso ser. O nosso ser é conformado, modelado e aquilo que experimentamos da vida divina tem incidência sobre o nosso agir cotidiano: somos seres portadores dos valores do Reino, seres espiritualizados pela força dinâmica do Espírito de Deus e transformadores da realidade, especialmente quando é sofrida, em favor do outro. Existir e ser em Deus é comprometer-se com o mais pequenino dos nossos irmãos, com seu ser, existência e dignidade, tantas vezes vilipendiadas pela própria maldade humana.

Uma das características da vida espiritual é o ser íntimo de Deus. Santo Agostinho (354-430 d.C.), em suas Confissões, assevera: "tu era mais íntimo a mim que a minha própria intimidade" (Conf. III,6). Este pensamento nos ajuda a meditar sobre a nossa comunhão com Deus, isto é, o nosso existir e ser Nele. Essa íntima comunhão com Deus deve ser a nossa meta cotidiana e se traduz no esforço humano de cada dia melhorar as próprias atitudes. É uma dimensão encarnada na vida com o desejo sempre de que o nosso ser e existir nasçam sempre do Espírito (Jo 3,9-15). O nosso ser e existir em Deus projeta-nos para o ser comunidade que nos remete novamente a Deus, uma vez que o próprio Deus é comunidade, na Trindade.

3. A Criação e o oitavo dia de nossa existência

Os antigos já anteviam a potencialidade criadora e criativa do ser humano. Reconhecem que dentro de cada ser humano há essa capacidade para continuar a criação de Deus. Se pensarmos bem, Deus continua criando o Universo todos os dias em cada homem e mulher que continua a criação como projeto de amor e de bondade. Todos os dias ecoa no Universo o refrão: "E Deus viu que era bom!" Esta criação continuada por homens e mulheres de boa vontade pode ser um ponto de reflexão na vida espiritual, em dois sentidos: O primeiro enquanto contemplação do criado e o segundo na dimensão da preservação e também da criação cotidiana de nós mesmos.

Dentro desse quadro de contemplação do Universo temos o grande mistagogo (aquele que introduz no mistério) Francisco de Assis. A sua capacidade contemplativa chegou a tal ponto que considerava tudo como "irmão e irmã". Irmão, irmã é aquele(a) que possui parte de mim... Francisco considerava a natureza como parte de si e como manifestação divina. Além disso, via em todo o Universo a beleza e a ternura de Deus que tudo foi modelando. Essa percepção do santo nos faz pensar no Universo como um grande templo onde podemos celebrar a grande liturgia cósmica ou um grande livro no qual podemos perceber a manifestação de Deus. E foi dentro desse Universo que o próprio Deus escolheu para encarnar-se, viver como pessoa, morrer e ressuscitar. O Universo com seus anos incontáveis é testemunha do evento salvífico da humanidade.

O Universo, a natureza não são divindades. Falam para nós de Deus que cria, recria e salva a humanidade a cada dia. Essa dimensão contemplativa nos evoca a uma tomada de consciência em relação à preservação, cuidar daquilo que Deus criou e continuar a sua criação. Não significa que o ser humano deva deixar tudo intocável, é necessário transformar e, para isso, modificar ambientes, realidades. A responsabilidade está em transformar e de forma responsável, agir para que a natureza não seja ferida mortalmente ou seja explorada até as últimas forças e criar um ciclo de mortes. Ao contemplar a obra da Criação, perceber os rastros de Deus nela e como realidade inspiradora à oração. Desse modo, cabe-nos refletir sobre a contribuição cristã, a partir da espiritualidade, no campo ecológico.

Nas Escrituras o salmista contempla as obras do Senhor (Salmos 8, 148, 150) e o cântico de Daniel coloca na boca dos jovens Ananias, Azarias e Misael o belíssimo texto no qual evocam a beleza de toda a criação e o louvor ao Senhor, ao serem salvos pelo Anjo de Deus (Dn 3,46-90). São Francisco também cantou seu cântico das criaturas.

Resta-nos perguntar qual será o nosso cântico... O cântico do cristão em relação à preservação da natureza não deve ser melancólico, mas cheio de vida. Não deve levar em consideração somente a natureza e a sua preservação, sim algo maior, o próprio ser humano. Por meio da espiritualidade cristã é possível resgatar o ser humano, cuidar dele, educá-lo para os valores, para a vida e para a preservação do meio em que vive por meio das pequenas iniciativas até ao engajamento nas causas sociais. Somente o ser humano é quem pode zelar pela natureza e se ele for esquecido pelo próprio semelhante, já nos encontramos diante de um problema de desequilíbrio ecológico e de degradação contra a vida. É a partir da vida humana que se pode preservar a vida da natureza. E é da preservação da vida humana e da natureza que poderemos ter vida em abundância (Jo 10,10) e realmente contemplar profundamente a Criação de Deus.

Mas essa criação não é somente do Universo. Dentro dele, Deus criou outro Cosmos que é o ser humano. Portanto, é importante abrir um outro horizonte e exercitar a nossa dimensão contemplativa e ler esse relato do ponto vista existencial.

Buscar as origens, conforme já refletimos, é a constante indagação humana. Desde os primórdios o ser humano se interroga sobre as questões primeiras e últimas da própria existência e busca encontrar vestígios e explicações sobre sua própria origem e natureza. Desde as teorias criacionistas às evolucionistas se verifica esse desejo de responder a um mistério que se coloca diante de nós: quem criou tudo isto? A pergunta é extasiante, as respostas tímidas e não se pode negar que exista uma inteligência superior que tudo criou. A mentalidade judaico-cristã chama-a de Deus. E cada religião tenta nomeá-lo. Para além das interrogações da Ciência e da Teologia, o ser humano tem diante de si uma morada na qual pode habitar e possui os recursos necessários para a vida, e cabe a cada pessoa a responsabilidade de cuidar desta casa, pois ao fazê-lo, cuida-se de si mesma e do seu semelhante. Imediatamente surge o desafio de conviver com os frutos da Criação de modo responsável.

Em Gn 1-2 o texto bíblico demonstra que a origem da criação é Deus. Especialmente o texto de Gn 1 apresenta uma póetica de beleza indizível. Deus cria todo o universo, todas as coisas e o homem e a mulher. Da parte divina, a criação é uma liturgia que vai sucedendo. A metáfora é bela, porque atribui características humanas a Deus, tornando-o próximo, sem lhe tirar a onipotência do amor criador. Deus cria o Universo porque é amor, e somente o amor é capaz de gerar nas entranhas e fazer que do nada exista algo... Aqui não interessa muito perguntar se Deus cria do nada, conforme afirmara Santo Agostinho ou reorganiza o caos. O importante é que existe a beleza diante de nós, a ser contemplada. Cada traço que a compõe expressa um significado profundo. Cada vez que se lê esse relato se extrai uma mensagem e uma imagem que o autor bíblico comunica. O autor consegue transmitir a imagem de um Deus que cria o mundo certamente para responder a uma pergunta de ordem existencial de si e da comunidade e recorre ao conhecimento que possui. Para além disso, a experiência que comunica é de uma beleza contemplativa extasiante que consegue 'humanizar' a imagem de Deus como alguém que vai pensando e o universo se materializando. O texto fala profundamente de existência, de mundo material, animal e humano. O autor coloca Deus, o Eterno, em uma sincronia, em um tempo: no princípio. Mas tudo já existia/existe e existirá no coração de Deus! O princípio evoca a nossa condição de seres que buscam a origem de si presente em cada átomo na criação que testemunha nosso aparecimento sobre a terra. Da nossa origem sempre teremos saudade e jamais será sanada enquanto não completarmos nosso oitavo dia de criação.

Deus cria o mundo em seis dias e no sétimo descansa. Ao dizer isso, a comunidade tem uma intenção particular, contrapor-se ao regime escravista babilônico que assolava as comunidades de Israel. Essa é a leitura exegética do contexto do texto. A leitura poética considera esses elementos e coloca o relato na lógica da beleza. Deus, a Beleza por excelência, ao terminar a sua Criação, com o ser humano, descansa e a contempla. É a imagem do camponês que, ao fim do dia de semeadura ou de cultivar o campo, contempla o que fez. Esse criar é poético (*poiesis*), não é um fazer mecânico (*tekné*), mas táctil, sensível, construído com as pontas dos dedos, na maior delicadeza. Assim foi feito o universo e assim Deus nos criou... e, ao final, ele contempla o humano. "Que é um mortal, para dele te lembrares e um filho de Adão, que venhas visitá-lo? E o fizeste pouco menos do que um deus, coroando-o de glória e beleza. Para que domine as obras de tuas mãos sob seus pés tudo colocaste" (Sl 8,5-7). Nascer da sensibilidade e do hálito divinos e ainda ser contemplado é o ápice do amor e do reconhecimento de uma existência. Deus olha para o criado, para o homem e a mulher e não para si. Ele não se revela um narcisista que se autocontempla e, depois de achar a beleza em si, destrói a obra que criou e morre na solidão. Deus, Beleza estupenda, oferece a beleza de si mesmo ao ser humano e não a recobra para si. É dom eterno, é graça! "E Deus viu que era bom!"

E Deus viu que era bom o ser humano ser belo. E faz o chamado para que continue a sua estrada de *homo viator*. Somos o resultado do sexto dia da criação e da contemplação do sétimo dia, numa mistura de desejo que se projeta ao horizonte do oitavo dia, dado a cada ser humano para criar a si mesmo. O oitavo dia é o mais longo de nossa história, pois toca o nosso alfa e nosso ômega existenciais. É o tempo dado para cada pessoa se autogestar e dar à luz a si mesma. É o tempo de nascer da própria carne e do Espírito (Jo 3). Talvez, o oitavo dia termina com o ocaso inesperado. Certamente porque não vivemos esse dia único de nossa existência, nossa morte, temos tanto medo da certeza da eternidade. E como realizar o oitavo dia da criação em nós? Certamente essa era a busca do Peregrino da nossa história. Esse projeto audaz não se realiza se não retrocedermos aos dias da criação divina e não a percebermos em nosso cosmo interior.

No primeiro dia, podemos evidenciar os primeiros elementos: céu, terra, água, trevas, luz, dia e noite. Nesse processo de reconstrução de nosso universo interior é importante percebermos que possuímos dentro de nós os elementos do primeiro dia. O céu e a terra são a transcendência e a imanência que estão dentro de nós e nos fazem ter saudade do divino e, ao mesmo tempo, o desejo de acampar nessa terra. Somos assim, nessa tensão, temos nossas trevas, nossa luz, nosso dia e nossa noite. Não podemos nos esquecer de que existe sobre nós um vento de Deus que paira sobre as nossas águas, sobre o nosso caos e o reorganiza a cada dia. A água é fonte de vida, é capaz de moldar-se a todas as formas e não ter forma alguma e abre a nossa consciência identificando, em nossa profundidade e inconsistências, a nossa luz, separando-a das trevas. Por isso, somos filhos da luz. "Deus viu que a luz era boa" (Gn 1,1). Nosso primeiro dia consiste em mergulhar nas águas da nossa transcendência, descobrirmos a escuridão da profundidade de nosso oceano e a luz sem ocaso que emana de nossa existência para Deus.

Conforme o escritor bíblico, Deus cria o firmamento, o espaço celeste visível aos nossos olhos e que se perde na imensidão, no segundo dia. Na complexidade de nosso ser, possuímos o nosso firmamento no qual nos projetamos para além de nós mesmos e miramos para horizontes que se perdem na vastidão de nossos desejos, sonhos e metas. Nesses termos, essa realidade de firmamento ocupa um lugar importante em nossa vida, a do sonho. O firmamento desperta em nós o desejo de desvelar o mistério da imensidão do universo existencial e que se descortina diante de nós... Metaforicamente, é um olhar sobre a nossa realidade aparentemente visível que se projeta ao imensurável de nosso ser. Paradoxalmente, o firmamento nos projeta a um olhar para além de nós, para os céus; e também significa aquilo que nos sustenta, que nos dá base, ao que é sólido. Nesse sentido, firmamento é um termo que exprime uma completeza, pois envolve todo o nosso ser. Somos firmamento, algo que se projeta para além de nós mesmos, nas bases de nossa existência, formando um único cosmos, possuindo tardes e manhãs, portadoras do mistério divino.

No terceiro dia o Criador, por meio de sua palavra, ordena que a terra produza ervas e frutos. Na construção do nosso universo interior, podemos produzir nossas ervas e nossos frutos. Certas ervas são amargas, daninhas e venenosas e podem provocar dano. Essas ervas devem ser podadas para que não tomem conta de nosso jardim interior e não eliminem aquelas que alimentam e produzem remédio. Essas ramas boas são antídotos para a humanidade faminta, dolorosa, machucada e servirá a nós mesmos. Da mesma forma, os frutos. Em nosso jardim interior, podemos encontrar árvores que produzem frutos e são alimentos; outras que enfeitam e outras que produzem espinhos e são estéreis. Desse modo, o terceiro dia da criação nos coloca na dinâmica daquilo que produzimos a nós mesmos e aos outros, resultante de nossas opções, conscientes ou não, que podem produzir vida ou gerar morte. Por isso, é importante realizar as podas interiores que são frutos de nosso discernimento, por meio da ação do Espírito. Ele será o jardineiro que conhece o tempo de cada poda e suscitará a disposição interior para ser podado, ainda que isso custe a dor. No entanto, é somente por essa ação do Espírito que se pode florir, ao contrário, ou se tornará estéril e morrerá ou se produzirá maus frutos, que não servem para serem compartilhados com ninguém. Na parábola do joio e do trigo (Mt 13,24-30.36-43), Jesus afirma que o patrão pede para que o joio e o trigo convivam até a colheita e depois ordena aos seus empregados: "arrancai primeiro o joio e atai-o em feixes para ser queimado; quanto ao trigo, recolhei-o em meu celeiro" (Mt 13,30). Na lógica joanina até mesmo o ramo que produz fruto deve ser podado para que produza mais fruto. O que não produz fruto é jogado fora (Jo 15,3). Nessa parábola Jesus nos interpela sobre a qualidade de nossos frutos e se realmente Ele é o centro de nossa vida, nossa verdadeira videira. É somente Nele que podemos frutificar e produzirmos boas sementes e o vinho novo que renova e alegra a nossa existência.

Se em nosso terceiro dia, devemos conhecer as ervas que temos em nosso jardim interior existencial, em nosso quarto dia deparamos com os luzeiros para separar o dia e a noite, a luz e as trevas. Se recordarmos, quando Deus cria o céu e a terra, faz também o dia e a noite, as luzes e as trevas. Certamente o quarto dia da nossa peregrinação interior nos recorda que, desde o início, já somos marcados por dias e noites, luz e trevas. Somos assim! Deparamo-nos com a luz ou as trevas que somos e temos que integrá--las na nossa vida, em nossa criação. Essa é a constante tensão que vivemos! No entanto, Deus usa essas duas realidades contrastantes para formar o dia. Do mesmo modo, devemos integrar esses dois processos para que possamos criar a luz a ponto de iluminar também a noite. A noite, na nossa existência, significa os momentos que podemos nos refazer: voltar a nossa interioridade, rever as nossas atitudes, silenciar nosso ser e pensar as estratégias para que o nosso dia existencial seja melhor. É a hora de penetrarmos em nosso próprio mistério. Portanto, a noite existencial é necessária e, na nossa vida, quando o nosso céu é extremamente escuro e tenebroso, temos que ter a força de criar a lua e as estrelas para iluminá-lo. Esse lado numinoso, conseguiremos com a luz que vem de Deus e o conseguimos com os nossos esforços. Fomos criados para buscarmos a luz! Assim, não precisamos ter medo do silêncio e da inquietação de nossas noites existenciais, precisamos temer o silêncio das trevas que nos faz cômodos, indiferentes e nos tortura. As noites passam e permitem a luz... as trevas permanecem e absorvem a luz. As trevas são hostis ao ser humano a tal ponto de que o próprio Deus interveio enviando o seu Filho, a Luz do Mundo.

No quinto dia de nossa peregrinação existencial, podemos contemplar, pelo relato de nossos antepassados na fé, que Deus enche a terra, o céu e o mar de seres vivos e colocam-lhes um imperativo: "crescei-vos e multiplicai-vos" e os abençoa. Todos os seres se movimentam; é vida em transformação para esperar o centro do criado, o ser humano. Em meio a quanta vida fomos gerados! Desde a eternidade o ser humano é colocado em meio à explosão de vida que acontece ao seu lado! Ao mesmo instante, faz pensar o vocativo divino que nos faz olhar ao nosso redor e multiplicar a vida das diferentes espécies e comunicá-la uns aos outros. Uma vida não se comunica somente biologicamente, é também possibilidade que temos de fazer a quem nos rodeia desabrochar. Antes mesmo de existir, o ser humano já era convidado, em união com outras vidas dentro do Cosmos, a promovê-las responsavelmente! O Ser Divino preparou tudo para nos receber, com a plenitude de vida! Ele não nos recebeu com a morte! Tristemente a criatura pela qual Deus espera até o sexto dia é aquela que ferirá o coração divino, escondendo-se do seu amor infinito. O nosso quinto dia nos faz refletir sobre como nos relacionamos eticamente e promovemos a vida que nos cerca: da natureza e do nosso próximo. Somos chamados a colocar a vida em movimento. Como cuidamos de nossa casa cósmica? Como estamos fazendo-a crescer e a multiplicamos. Que coisa estamos oferecendo ao Senhor, o todo dadivoso conosco? O nosso quinto dia é aquele que nos coloca em sintonia com o criado e a nossa forma de cuidar do que recebemos quando fomos criados, sendo responsáveis pelas gerações que nos sucederão.

Deus cria o homem e a mulher a sua imagem e semelhança, no sexto dia, abençoa-os, fecunda-os para perpetuarem a espécie e cuidar do criado. O nosso sexto dia existencial é o dia de nos dedicarmos ao nosso projeto de autoconstrução. Somos masculino-feminino que se unem para formar uma unicidade que possui dentro de si a masculinidade e a feminilidade de quem nos gerou e carrega em si a divindade de quem nos criou. O sexto dia é desafiante para nós. Não é a perfeição! Mas... não fomos criados à imagem e semelhança do Criador? Somos tensão peregrina em busca dos fragmentos da eternidade de quem nos gerou. Somos chamados a superar o nosso sexto dia sem construirmos a nós mesmos como imagens e semelhanças. Se o fizermos, tornamo-nos ídolos-narcisos que perdem a originalidade da imagem divina estampada nas entranhas da alma humana. Somos obrigados a lidar com o imperfeito de tudo que somos, com a nossa fecundidade, infecundidade, com as nossas bestas interiores e com as nossas aves de rapinas. Mas o criador viu que era bom e pediu para que o humano se fizesse cada vez mais humano com outros. Por isso, o sexto dia da criação é o mais belo e o mais desafiador, pois temos que continuar a fazer-nos humano com os próprios dias e noites e com outros que também se autoconstroem. Talvez essa cena nos remete a Sísifo que, ao desafiar os deuses, sofre a punição eterna de empurrar uma rocha até o topo da montanha e depois essa retorna abaixo para recomeçar tudo novamente. Pode ser que até façamos o mesmo, ao levarmos as nossas pedras ao topo da montanha, mas diferentemente de Sísifo não fomos amaldiçoados pelos deuses, fomos contemplados!

Precisamos descansar para contemplar a criação que fizemos de nós mesmos. O nosso sétimo dia é quando diacrônica e sincronicamente, podemos retomar a nossa história pessoal e perceber nela as possibilidades que nos foram doadas por Deus e, por uma série de fatores, desde a nossa falta de vontade até mesmo as estruturas pessoais não conseguimos levar a cabo essa transformação. Esse tempo de contemplação é propício à conversão que nos permite continuar nossa criação em um oitavo dia. Não podemos nos esquecer de que nesse oitavo dia o Espírito do Senhor está sobre nós, soprando em nossos abismos e curando nossas feridas e nos tornando pessoas novas, revificadas. No sétimo dia Deus contempla a sua criatura. E viu que era bom. A nós cabe contemplá-lo e, talvez, seja esse nosso problema, pois não compreendemos a sua voz silenciosa e o seu olhar. No sétimo dia ocorre a experiência do olhar do enamoramento profundo, do amor visceral que faz o ser humano contemplar quem é a sua fonte de vida, de luz. É o dia de se reconhecer extremamente pequeno diante daquele que nos contempla por amor e continua a nos acompanhar em nossa peregrinação existencial rumo à conversão de cada dia. Quando nos tornamos ídolos de nós mesmos nos instrumentalizamos e nos esquecemos de Deus e a nossa relação com ele não é amorosa; é feita de interesses para preencher determinada carência pessoal. É um crer de conveniência e não adesão profunda e amorosa.

O oitavo dia dado por Deus a todos nós é graça, e se constitui na complexa tarefa de o colocarmos como centro, para discernir a sua vontade e construir onde quer que estejamos o seu Reino. É a possibilidade que nos é dada de potencializar a nossa humanidade e sermos tão humanos dentro de nossa casa existencial, a ponto de podermos comunicar a beleza do que experimentamos que provém do Sumamente Belo que nos criou para irradiá-lo no mundo. É o dia mais difícil para compreendê-lo, porque é o tempo reservado à dádiva de Deus e a preparação de nossa entrega que dura a vida inteira. É o tempo que nos é oferecido para prepararmos nosso ser Àquele que nos moldou com a ponta dos seus dedos e com o seu sopro vital.

4. Integrar nossos sentimentos no diálogo com Deus

Nesse processo de criação do nosso cosmos existencial e de peregrinação e crescimento interiores nos deparamos com várias facetas do nosso ser. O Peregrino, na sua viagem, deparou-se com a família dos Sentimentos com seus diversos integrantes. Os sentimentos são importantes e não podemos, em nosso itinerário, marginalizá-los, uma vez que são importantes para nossa interioridade. Eles habitam a nossa casa interior, formam uma grande família e cada um possui as suas características peculiares. Conhecê-los ajuda na integração e na harmonização de nosso ser, nos processos de mudança de hábitos e de vida, bem como na vida espiritual. É com eles que vamos ao encontro cotidiano com Deus.

Nas Escrituras podemos encontrar os diferentes sentimentos do ser humano, e o livro que melhor os expressam é o dos Salmos. A sensibilidade dos autores é tão grande que são capazes até de inserir sentimentos humanos em Deus. Dentre tantas interpretações possíveis dessa realidade, uma delas é a de tornar Deus próximo, mais palpável, uma vez que na mentalidade israelita o nome divino era impronunciável. Um Deus distante, apático, intocável não diz muito; um Deus que se alegra, tem ira, que ama, tem ciúmes é mais fácil de percebê-lo no itinerário da vida, de contemplá-lo, de louvá-lo.

I. Tornar-se peregrino de si mesmo

Se na linguagem sálmica é possível perceber essa face de Deus com os seus diferentes sentimentos, também é possível evidenciar a verdadeira faceta humana. Em outros termos, os salmos nos dão uma verdadeira anatomia do ser humano nos seus diferentes modos de expressar: lamentações, poemas, louvor, súplica, penitência, agradecimento, exaltação à realeza divina e humana, etc. não tendo aversão àquilo que se sente e não fazendo disto obstáculo à experiência de Deus. O modo como os salmos exprimem a realidade nos faz perceber os sentimentos dos autores, da comunidade, das pessoas nas diferentes situações desde a alegria, a tristeza, a perseguição e a morte. Meditavam a realidade que sentiam, faziam-na transformar em prece.

No campo espiritual entrar em contato especialmente com os salmos nos faz mudar a mentalidade de que, quando vamos orar, o que sentimos deve ser controlado, mortificado ou banido daquele momento. Ao contrário, rezamos com aquilo que sentimos e somos! Os nossos sentimentos sejam quais forem são sentimentos. Alegria, tristeza, raiva, ódio, amor são nossos e nos acompanham também na vida espiritual. O que fazemos com eles é outra realidade. Eles podem nos ajudar, bem como podem se tornar um fardo, tanto na vida cotidiana quanto na espiritual. Na oração cotidiana devemos rezar e oferecer a Deus o que sentimos. Se alegre, rezamos a alegria, se triste, a tristeza... Isso permite também um melhor autoconhecimento, integração e equilíbrio do que sentimos na vida. Por isso, na vida espiritual é importante não ter medo dos próprios sentimentos e integrá-los na relação com Deus.

Nas páginas sálmicas da Escritura é muito comum verificar o lamento do salmista, seja por enfermidade, seja por calúnia, para ser libertado do inimigo, por socorro ou por justiça, na provação, no momento de perseguição, no sofrimento, na aflição (Sl 6; 7; 10; 12; 14; 17; 22; 31; 35); ou a manifestação do louvor, da confiança em Deus nas diferentes situações, especialmente no perigo; do reconhecimento do seu poder e da sua justiça; do amor, da força criadora de Deus (Sl 8; 9; 11; 16; 19; 23; 27; 146 a 150) e de arrependimento (Sl 38; 39; 51). Esses exemplos demonstram que podemos experimentar Deus com aquilo que sentimos e experimentamos no nosso cotidiano.

Esperar o momento ideal para que não venha a nossa mente ruídos, aquilo que nos fragmenta, é correr o risco de sempre adiar esse encontro com Deus para depois e nunca nos confrontarmos. A integração e a harmonização do nosso ser e sentir começam com a nossa vontade de caminhar rumo ao nosso centro vital – a nossa casa interior, descobrindo a nossa verdade. É nela que Deus nos visitará e nela o recebemos com a linguagem dos nossos sentimentos que ele nos ajudará a modelar.

Dentre todos os sentimentos divinos atribuídos pelos salmistas, o amor criador de Deus é algo muito profundo. É somente através do amor que se pode confiar e sentir-se amado e se reconhecer como a criatura mais importante (Sl 8) perscrutada por Deus, que conhece o íntimo humano. Proclama o salmista: "Fostes vós que criastes minhas entranhas e me tecestes no seio de minha mãe. Dou-vos graças porque me fizestes maravilhoso; estupendas são vossas obras bem o sei" (Sl 139,13-14).

À medida que vamos entrando no coração de Deus, tornando-nos cada vez mais íntimos Dele, podemos confiar e perceber o seu amor e aí fazer nossa profissão de fé, conforme João: "Deus é amor; quem permanece no amor permanece em Deus, e Deus nele (...). No amor não existe medo (1Jo 4,16.18). É nessa confiança que podemos unir os nossos sentimentos com o sentimento e a realidade mais profunda de Deus, o amor. Aí começamos a profunda e verdadeira experiência espiritual com o nosso jeito de ser, de perceber a vida e como Deus age nela, sem querer buscar uma perfeição prévia que nos possa atrapalhar nesse caminho de busca e conhecimento do divino.

5. Sofrimento humano: quando a palavra silencia...

Ao longo de sua estrada o Peregrino se deparou com o sofrimento. Desse modo, a busca do autoconhecimento e da construção de um arcabouço espiritual sólido é importante para confrontar com essa realidade da vida que nos afeta de um modo ou de outro. Dessa realidade dolorosa surgem tantas perguntas: Por que há o sofrimento no mundo? Se Deus é bom, por que permite o sofrimento do inocente? Ele é culpado pelo sofrimento humano? Por que permanece em silêncio? Estas interrogações surgem, especialmente, quando se confrontam com situações cruciais, seja de catástrofes naturais ou provocadas pelo próprio ser humano ou por várias situações existentes no percurso da vida.

Escritores, filósofos, teólogos abordaram esta realidade, tentaram dar respostas. Entretanto, parece que o problema do justo que sofre, posto nas Escrituras, especialmente em Jó, ecoa hoje, de diversas maneiras. Frente a essa situação, o desafio para o cristão e/ou a espiritualidade cristã é como falar de Deus em situações de sofrimento.

A tendência natural de cada pessoa é, diante do sofrimento e das situações de injustiças, buscar uma explicação, uma causa ou responsável por essa realidade. Nem sempre isso é possível, porque se esbarram nos limites da razão. E, talvez pela situação de desespero do indivíduo, a culpa recaia sempre sobre Deus ou sobre outras pessoas. Aqui é importante fazer uma distinção para que não se façam julgamentos precipitados.

Há várias situações de sofrimento. Há aquelas para as quais podemos oferecer determinadas explicações plausíveis e fundamentadas em várias ciências; para outras, não é possível haver uma resposta clara, definitiva. Isso é complexo e embaraçante, quando temos que confortar alguém desesperado frente a uma fatalidade ou que está diante de um sofrimento que provoca desde as dores físicas às morais. O que dizer neste caso? Muitas vezes o silêncio e a presença confortadora são as melhores respostas, diante de alguém que está vivenciando o terrível drama do sofrimento ou desesperadamente nos confronta com interrogações sem respostas.

Existe o sofrimento ocasionado pela doença. A doença é algo que ocorre na vida do ser humano. Não se trata de um castigo imposto por Deus ao homem e à mulher. Pensar dessa forma é colocá-lo numa condição de castigador, de vingador, e essa não é a essência divina. A doença faz parte do próprio limite bio-físico-genético de cada pessoa. Há doenças que herdamos geneticamente, outras são adquiridas pela ingestão de substâncias maléficas ao organismo, pela falta de cuidado com o corpo, pelo envelhecimento celular e tantas outras explicações possíveis que a medicina atual é capaz de apresentar. São múltiplas as causas. Há outras que se desenvolvem no organismo e são percebidas muitas vezes já em avançado estágio, por exemplo, o câncer. Portanto, o sofrimento causado pela doença encontra-se em nossa complexidade genético-orgânica e as formas de alívio existentes são os cuidados terapêuticos disponíveis, bem como a espiritualidade que nos últimos tempos tem sido resgatada como um fator auxiliar no bem-estar de pacientes.

Outra forma é o sofrimento causado por um agente exterior a nós ou a outrem. Ou seja, é aquele capaz de vilipendiar ou mesmo tirar a vida de outrem ou cometer uma ação que deixe sequelas físicas por toda a vida. Em outras palavras, pode-se causar sofrimento a outro e vice-versa. Esse sofrimento não é meramente físico, pode ser psicológico, quando deixa consequências neurotizantes; moral, quando afeta a consciência e o agir, e a dignidade da pessoa.

Sofrimento resultante de determinada ação ou reflexo. Trata-se de uma ação praticada em determinado nível, a trazer consequências a ambas as partes. Um assassino causa a si próprio o sofrimento, isto é, deve sofrer as penalidades legais por causa da vida que extirpou e, por consequência, faz sofrer a outros, como familiares, amigos e parentes da vítima, por causa desta sua má ação.

Sofrimento resultante das más ações humanas. Se analisarmos, todas as situações de sofrimento, de violência, de guerra, da destruição do meio ambiente, da má distribuição de renda, da poluição, das catástrofes e muitas doenças são provocadas pela ambiguidade do agir humano. A ausência de humanidade, de compaixão, de solidariedade e de amor, aliada ao egoísmo, ao ódio, transforma-se numa fórmula química muito perigosa capaz de fazer muitas vidas infelizes. A história está cheia de exemplos...

Por fim, o sofrimento na ordem do não explicável, o que gera mais angústia, porque se encontra na linha da incapacidade de responder àquilo que se sente e se vive e foge à razão humana. Como explicar uma fatalidade que gera morte para as pessoas que ficaram, e proporcionar-lhes um ritual de despedida do ente querido que se foi? Sabemos que um acidente aéreo ou automobilístico tem as suas causas tecnológicas e humanas, esse é o explicável. Todavia, a pergunta de fundo é: por que aconteceu? Por que exatamente aquelas pessoas e naquele momento? Foi apenas uma fatalidade? Outra realidade é a de pessoas justas, bondosas e crianças que sofrem uma doença dolorosa e incurável. Temos a tendência de pensarmos: a alguém mau, o sofrimento justifica-se, ao bom e ao inocente não... Que resposta dar a nós mesmos? Portanto, não é simples responder à questão sobre o sofrimento humano. De antemão, exige-nos um ato de fé.

O problema do sofrimento não é somente humano, é também divino. Deus sofre! Alguém dirá, então, esse Deus é fraco!? Pode-se afirmar com muita tranquilidade que não. Moltmann afirma que

> É na dor que surge a pergunta do homem sobre Deus, pois o sofrimento incompreensível põe em dúvida o conceito que o homem tem dele. O sofrimento de uma única criança inocente é uma incontestável contradição da imagem de Deus do céu, bom e todo-poderoso. Chegamos a duvidar de que um Deus que deixa os inocentes sofrer, permite a morte sem sentido, não é digno de ser chamado Deus. Quando as variadas formas de sofrimento dos seres vivos chegam ao nível de uma dor consciente, acaba-se a confiança primitiva e infantil em Deus. O homem dilacerado pela dor está inteiramente só. Não há explicação para o sofrimento quando este pode afastar a dor.[2]

Na verdade Deus nunca abandonou o mundo e os seres humanos. Ele está envolvido no sofrimento humano porque é passível, caso contrário, seria incapaz de amar.[3] Ele não é onipotente, distante do humano e não se impõe como Juiz punidor dos atos humanos. Ele é onipresente, sim, no sofrimento humano, e se deixa afetar por ele. Ele "desce do céu" e rompe com o abismo instransponível entre a divindade e a humanidade, de fato que "a única onipotência que Deus possui, e que se revela em Cristo, é a

---
[2] MOLTMANN, Jürgen. *Trindade e Reino de Deus. Uma contribuição para a teologia.* Trad.: Ivo Martinazzo. Petrópolis: Vozes, 2000, p. 61.
[3] Cf. MOLTMANN, Jürgen. *Trindade e Reino de Deus*, p. 37.

onipotência do amor padecente".⁴ Deus sofre por suas criaturas e também pelo mundo. "O sofrimento de Deus com o mundo, o sofrimento de Deus no mundo e o sofrimento de Deus pelo mundo são formas superiores do seu amor criativo, o qual deseja uma comunhão livre com o mundo, e uma resposta igualmente livre no mundo."⁵ Deus está na experiência de cruz do mundo, onde se contempla a realidade profunda da humanidade e percebe que nas suas entranhas encontra a fagulha da vida, muitas vezes silenciada pela incapacidade de auscultar o mistério de um Deus que, no seu silêncio, entrega cada dia o Filho que dele sai para a humanidade, volta-se para ele e é devolvido novamente pelo Espírito à humanidade, no amor, buscando aliviar o sofrimento do mundo.

    O sofrimento tem uma capacidade catártica e leva o ser humano às fundações do ser. Retira-lhe todas as máscaras, dispensa as questões periféricas e ele atinge o próprio âmago. É lá, na sua profunda interioridade, que conseguirá compreender o sofrimento e sentir a compaixão de Deus e, na dinâmica do sofrimento, o humano compreende a crucifixão e a ressurreição. Não se trata de apologia ao sofrimento; há que se levar em consideração que há sofrimentos causados, e há o incausado, intrínseco ao ser. Deus, em nenhum momento, concorda com ele, mas pelo *pathos* divino, faz-se companheiro com o humano, frente à precariedade da vida. Assim, a interrogação a ser feita é: como o humano lida com o desafio de existir, frente à experiência da fé, na cultura pós-moderna, marcada pelo secularismo, pela descrença em Deus? Para Jürgen Moltmann "na fé, o homem experimenta a Deus na sua relação com ele, e experimenta a si mesmo na sua relação com Deus. Se ele experimenta a Deus assim, então experimentará também como Deus o 'tem experimen-

---

⁴ MOLTMANN, Jürgen. *Trindade e Reino de Deus*, p. 45.
⁵ MOLTMANN, Jürgen. *Trindade e Reino de Deus*, p. 73.

tado' e ainda o experimenta".[6] Ao se ver posto no mundo, fazendo a experiência da dor existencial, o ser humano se atira nos braços divinos, mesmo não conhecendo o Mistério, mas sabe que esse o abriga, contrapondo-se às experiências de descrença, de ceticismo e da indiferença. Desse modo, na visão cristã, mesmo diante da absurdidade da vida e do fracasso surge a esperança, pois há um elemento importante: a fé na ressurreição de Jesus, como grito de Deus diante da morte do seu Filho, bem como dos crucificados da história e de todo o ser humano.

Quando se lê a Sagrada Escritura encontram-se páginas belíssimas que falam do sofrimento de Deus (Gênesis, Êxodo, Oseias, Isaías, etc.). Apesar da infidelidade humana, Deus sempre está junto a recriar, a libertar, a chamar o seu povo para si. É o Deus louco de amor! Como se não bastasse o profundo amor à humanidade, Ele apresenta o presente por excelência a todos, o seu Filho Jesus Cristo, o homem da compaixão, isto é, aquele que *sentiu até as suas vísceras* e *experimentou a situação de sofrimento e de opressão de seu povo*. Basta pensar nos encontros d'Ele com as pessoas e se pode imaginar o que ele sentia (Mc 1,21-40; 2, 1-12; 8,1-10; Lc 10,25-37; Jo 4; 8,1-11). Como se não bastasse, Ele também sofreu na própria carne o que é ser injustiçado, caluniado e morto. Morreu, como alguém que falou erroneamente sobre Deus, na visão das autoridades judaicas. E a ressurreição foi o indicativo do poder da vida sobre o sofrimento e a morte. Um Deus que sofre e faz a experiência da morte é algo diferente na história...

Postos esses elementos, pode-se indagar: qual ajuda a espiritualidade pode oferecer? De antemão, devo dizer que se deve tomar cuidado com aquela espiritualidade que justifica todo tipo de sofrimento. "Isso é vontade de Deus ou Deus quis assim". Isso pode eximir o ser humano das suas responsabilidades e é muito perigoso! Deve-se

---

[6] MOLTMANN, Jürgen. *Trindade e Reino de Deus*, p. 19.

sim fazer um bom discernimento e captar a vontade de Deus e ver aquilo que não o é. Nesse sentido, depois de muita oração e do discernimento, o homem e a mulher cristãos são chamados a ler o sofrimento sob uma outra óptica, a de aprender com o silêncio e com o sofrimento de Deus. Isso requer alguns elementos: a paciência, a humildade, a esperança, a caridade, a fé viva no Deus da vida que venceu a morte.

Há situações em que diante do sofrimento não adianta palavras. Uma palavra mal dita pode agravar ainda mais a situação de quem sofre. Aproximar, ser presença, silenciar, compreender a revolta do outro(a), deixá-lo(a) expressar tudo o que o coração sente, recolher a história de vida daquela pessoa e devolvê-la como um bálsamo que cura é uma via e consola. Para isso, é necessário não se esquecer do ensinamento da fé bíblica, especialmente de Jesus, o homem que, diante do sofrimento, fazia as pessoas relerem a vida de um outro modo, de forma libertadora, e compreenderem que aquilo que viviam não era um castigo imposto por Deus, por causa da infidelidade dos antepassados nem vontade de Deus (Jo 9).

Muitas vezes, frente à experiência da dor de um parente querido, de um amigo ou de pessoas que conhecemos, é preciso aguardar pacientemente o amanhecer do primeiro dia da semana... E só alguém com uma densa vida espiritual é capaz de suportar essa espera e ser capaz de confortar a pessoa que geme e lacrimeja por suas dores físicas, espirituais e morais...

6. O ser humano em busca de Deus

Mesmo havendo as intempéries da vida, é preciso caminhar, e quanto mais o fazemos, mais sentimos necessidade e percebemos o seu valor. Assim ocorreu com aquele

Peregrino. A vida espiritual provoca no ser humano um desejo profundo de Deus. Em uma linguagem bastante simplificada, poder-se-ia dizer *que existe* uma vontade movente dentro do ser humano em direção ao divino. Não é uma mera curiosidade, é vontade de conhecer o que está para além do imanente. O ser humano pergunta sobre Deus para conhecê-lo ou para negá-lo. Como tentativa de resposta, as culturas elaboraram, ao seu modo, um conjunto de explicações que pudessem fornecer ao ser humano caminhos para aproximar-se desse mistério. Nascem as cosmogonias, os relatos de criação, os mitos, as lendas para explicarem a origem do homem e do Universo. Em todos esses relatos uma das características é que o ser humano é criado por um ser superior e numa situação de dependência à divindade criadora, que também tem o poder de destruir o criado, se esse a contrariar

Outro elemento é que os relatos míticos sempre ressaltam um desejo do humano de buscar o transcendente, isto é, o ser humano tem uma ausência dentro de si que o faz buscar além de si mesmo o que lhe falta. Ele o faz por meio dos ritos, dos sacrifícios, das orações e dos cultos. Aliás, a oração como dado antropológico nasce da situação de extrema fragilidade do ser humano diante de uma natureza feroz, e apresentar sacrifícios à divindade é a forma encontrada para apaziguar essa força incontrolável da natureza, como acreditavam os antigos.

Santo Agostinho na sua angústia existencial expressa com intensidade essa busca/anseio por Deus "vós, afinal, habitáveis dentro de mim, e eu procurava-vos fora!... Estáveis comigo, mas eu não estava convosco!" (Confissões X, 17). O coração do crente, do homem espiritual é um coração inquieto e não cessa jamais de desejar Deus. Essa inquietude provém do Amor divino que inscreve no coração humano essa realidade e cria um movimento que faz andar sempre ao encontro Dele. A chama divina dentro do coração humano é muito profunda e a pessoa que a experimenta não conseguirá expressá-lo. Sempre permanecerá uma sensação de ausência, uma lacuna, um desejo...

O único ser humano a fazer uma experiência na totalidade de Deus foi Jesus. Os(as) santos(as), como nós, fazem-na, mas sempre sentem que não podem atingir a plenitude desta realidade. Sempre continuaram a buscar Deus e, por isso, se tornaram santos(as), pois viveram uma vida em sintonia com o Santo dos Santos. Os(as) santos(as) foram pessoas que sempre sentiram uma profunda saudade de Deus. Sentiam, ao mesmo tempo, a Sua presença que, para eles, muitas vezes se traduzia num sentimento de presença-ausência-abandono. E quanto mais próximos de Deus, mais desejavam-No e tinham vontade de unirem-se a Ele.

Atualmente, a palavra espiritualidade entrou na moda e é usada, muitas vezes, de modo incorreto. As pessoas fazem a experiência de um sagrado e recorrem muitas vezes às diferentes crenças religiosas, sem se comprometerem com nenhuma delas. Desse modo, muitos veem *a religião e a espiritualidade como um shopping*, onde se faz uma mistura de todas os credos religiosos e se cria outro fenômeno religioso, enquanto esse pode responder a um desejo pessoal e uma indiferença ao divino, um ateísmo, que refuta qualquer elemento divino e coloca toda a confiança somente no ser humano ou em fenômenos lugares, ou objetos "místicos". Do ponto de vista espiritual, todos os dois elementos são superficiais, pois não conseguem oferecer ao ser humano uma resposta equilibrada ao seu processo existencial. Uma religião criada à imagem e semelhança do ser humano é idolatria e espiritualismo e, colocar as forças somente na condição humana, é arrogância e incapacidade de vislumbrar o mistério divino.

Essa realidade está aí presente e o cristão deve-se acostumar a conviver num mundo secularizado, indiferente a Deus ou que faz uma miscelânea de crenças ou uma substituição por ídolos que produzem "resultados eficazes" e dispensa a pessoa do compromisso com o outro. A fé e a espiritualidade cristãs ensinam que o outro é para mim a imagem e a semelhança de Deus e possui em si elementos que me estimulam no conhecimento de Deus e, ainda, a fé não é realidade abstrata, sim histórica e comprometida com a realidade. Descobrir esse percurso é o desafio para cada um de nós.

Com a evolução do ser humano, mudou-se também a forma de conceber o divino. Por meio dos estudos científicos e teológicos, sabemos muito mais sobre as coisas divinas e da espiritualidade do que os nossos antepassados. Também é verdade que a descrença é muito maior. Para muitos homens e mulheres crer não diz absolutamente nada, e afirmam poderem ser boas pessoas e fazerem o bem sem a fé ou crerem em Deus. De fato, há pessoas que se declaram ateias e há atitudes magníficas, invejáveis a muitos cristãos. Entretanto, esse pensamento deve questionar o cristão a se perguntar: em que me diferencio dos demais? Fazer o bem? Eles também fazem... Viver eticamente? Os não cristãos vivem, e muitos deles, melhor do que os cristãos... Já pensou nessa diferença? Cada um deve tirar a sua conclusão e fazer uma revisão da própria vida e ver as diferenças e as semelhanças. Se em um cristão não se encontra nada de diferente dos demais, que se dizem não crentes, algo não vai bem.

Nesse sentido, é importante o retorno às raízes do Cristianismo como experiência de fé e de mística profundas. Para o cristão o mundo e a realidade humana com todas as contradições têm um sentido diferente. Quando o ser humano que não crê afirma terem chegado ao fim as esperanças e não ter mais saída, o cristão vê novos horizontes e aberturas, pois a sua vida espiritual o lança para além de si mesmo. O desejo de Deus põe-lhe a caminho... e, consequentemente, ele encontra caminhos que para o não crente se torna difícil de vislumbrar.

Nesse percurso é importante considerar as questões que emergem. A dúvida é um elemento que revela a sanidade da fé e da espiritualidade. Quem nunca se interrogou sobre as coisas de Deus e da fé, pode ter perdido a chance de ampliar tais horizontes ou nunca sentiu incomodar-se por Deus e se deixar perguntar: Deus, onde estás? Quem ama sempre se pergunta pela pessoa amada... Talvez as questões a seguir ajudem a buscar caminhos para conhecer mais Deus e amá-lo: 1) Você já sentiu ou sente saudades de Deus? 2) Como experimenta Deus em sua vida? 3) Como sente a sua ação, os seus movimentos na vida, no Universo? 4) Na sua experiência de oração pessoal e de comunidade, quais são os sentimentos que lhe vêm em relação a Deus? Essas questões nos fazem pensar e rever a nossa vida espiritual e os caminhos que estamos percorrendo para o nosso encontro com Deus.

7. A morte: Renascer em Cristo à Vida Nova!

O filósofo alemão, Martin Heidegger (1889-1976) define o ser humano como *um ser-para-a-morte*. Assevera: "A questão da constituição ontológica de 'fim' e 'totalidade' obriga a tarefa de uma análise positiva dos fenômenos da existência até aqui postergados. No centro destas considerações, acha-se a caracterização ontológica do ser-para-o-fim em sentido próprio da presença e a conquista de um conceito existencial da morte.[7] O mesmo autor afirma que o ser humano pode ter uma existência autêntica ou inautêntica.

---
[7] HEIDEGGER, Martin. *Ser e Tempo*. Vol. 2; 5. ed. Petrópolis: Vozes, 1997, p. 17.

A morte nos faz refletir sobre a vida, e quanto mais intensamente vivermos, mais teremos uma existência autêntica perante o mundo que habitamos. Do ponto de vista da fé cristã, viver autenticamente consiste em valorizar a vida como dádiva e vivê-la dignamente, bem como compartilhá-la com o próximo, na sua profunda totalidade, fazendo o bem. A existência inautêntica é a banalização da vida, desvalorizada, sem sentido, legada ao vazio existencial.

Morrer é fazer a experiência da saudade que Deus tem pelo ser humano e da irresistível entrega de si mesmo para o Eternamente outro que nos ama para sempre e que nos chama para experimentar a eternidade Nele. Essa última etapa de nossa peregrinação pela terra é marcada pelo encontro com o evento desconcertante e fatal, a própria morte.

Na história, o Peregrino sentiu um medo profundo e a morte o convidou a percorrer um caminho desconhecido. Então, ele se lembra do encontro que teve com o Senhor e de que era apenas um Peregrino neste mundo. Com esse evento, concluímos o nosso oitavo dia e as realidades que não pudemos concluir com nossas forças ou dimensões inconscientes Deus completa por meio do seu amor. Vida e morte, duas realidades opostas que fazem parte da experiência humana. Só é possível compreender a vida se se passar pela crise da morte. Ao sair do ventre materno, morre-se para aquele mundo seguro, protegido, mas que, ao seu tempo, expulsa à vida, senão ela morre. A criança ao se tornar adolescente e adulta experimenta uma morte, caso contrário, está fadada a ser eternamente imatura. Essas "mortes" são compreendidas de um modo tranquilo por todas as pessoas, pois não implica experiência existencial profunda, diferentemente do deixar de existir neste mundo, fenômeno que afeta todos os seres humanos.

A morte é algo que acontece, interrompe a vida, projetos, sonhos de uma pessoa e afeta todo o círculo relacional de quem morreu – familiares, parentes e amigos, etc. Faz parte das perdas existenciais significativas. Esse acontecimento é imprevisível, enquanto tempo e modo, mas certeza de que um dia chegará a todos os viventes. Cotidianamente, embora estamos sujeitos a tantos perigos e somos frágeis, não pensamos sobre esse evento. Talvez esse esquecimento seja um ato falho necessário em nosso ser para nos livrarmos da absurdidade desse momento, pois se nos apegássemos a ele estaríamos à beira de uma neurose. Portanto, a morte coexiste com a vida e consiste em um dos grandes mistérios que ao ser humano não é possível desvendar.

Não conseguimos dar uma palavra final sobre o que acontece depois desse evento. Isso está na dinâmica do mistério e da fé, pois aqueles que já morreram nunca se comunicaram conosco e também não é necessário que voltem, uma vez que pertencem ao mundo divino. Assim, resta-nos um silêncio abissal, angustiante, e a saudade prolonga-se pelo tempo com a esperança do encontro. Somos alimentados pela fé na ressurreição de Jesus Cristo que nos faz suportar a dor da perda de quem amamos e a lembrança silenciosa de suas existências em cada estrela que brilha no universo.

Mas a crença na vida pós-morte, a ressurreição, não seria apenas um subterfúgio, uma metáfora ou um eufemismo para livrar da dura realidade que nulifica o ser humano, que é a morte? Não, conforme os ensinamentos da fé cristã! A verdade é que a nossa fé nos arremessa à crença na vida nova, de modo que a morte não passa a ser o abismo intransponível, e sim o desvelamento de um novo ser humano habitante em Deus e que tem nele uma vida nova. Assim como a semente lançada na terra desaparece para que surja uma vida nova, assim é o morrer humano. Somos esta semente e um dia voltaremos à terra para florescermos nos jardins do Criador e, Nele, sermos recriados de uma nova maneira, que não compreendemos, a não ser pela dinâmica do ato de fé.

Na concepção bíblica a morte é algo que abrange a totalidade do ser humano e a transformação inteira do seu ser. A ideia de vida após a morte começa a ficar clara no século II a.C., embora as Escrituras sempre mencionem a realidade da morte. Em Dn 12,2 há uma afirmação clara da ressurreição, na qual encontramos a expressão *vida eterna*: "E muitos daqueles que dormem no pó da terra despertarão: uns para a vida eterna e outros para a vergonha e a infâmia eterna. Em 2Mc 7,9 aparece esta afirmação: "ao exalar o último suspiro, disse: 'Tu, ó criminoso, nos excluis da vida presente, mas o Rei do universo nos fará *ressurgir para uma vida eterna* a nós que morremos por suas leis". É em Jesus que tudo isso se plenifica quando ele mesmo assevera: "Eu sou a ressurreição e a vida. Aquele que crê em mim, ainda que morra, viverá. E todo aquele que vive e crê em mim não morrerá jamais" (Jo 11,25ss). Paulo nos diz que se morrermos com Cristo, viveremos com Ele (Rm 8).

Se afirmamos crer na vida pós-morte, e isso professamos, devemos perguntar-nos como estamos preparando-nos para a ressurreição. Caímos no risco de deixá-la para o amanhã e esquecermos das experiências de ressurreição em nosso cotidiano: o sol que a cada dia se levanta no horizonte, o despertar de cada dia, a flor que desabrocha, a vida que nasce, o sorriso que se abre, a doença curada, a esperança de um dia melhor, a utopia do amor que dispensamos a quem amamos e perdoamos. Assim, a ressurreição acontece, em primeiro lugar, na simplicidade das pequenas coisas da vida. Afinal, somente quem tem profunda fé na vida, consegue viver, e somente quem a torna dádiva – *ars vivendi* (arte de viver) – sabe renunciá-la e se preparar para a *ars moriendi* (arte de morrer) na serenidade e na sabedoria. A intensidade da *ars vivendi* projeta-nos para o kairós da *ars moriendi!*

À luz da própria Ressurreição de Jesus, devemos compreender a nossa ressurreição. Ela é um processo no qual somos assumidos no próprio Cristo Jesus, na sua morte e ressurreição e, sem jamais, esquecer-nos das nossas ressurreições cotidianas que acontecem todos os dias de nossa existência. As atitudes de bondade, de acolhimento e de amor ao próximo são evidências da ressurreição na vida humana! "A ressurreição está acontecendo; é um processo em curso. Um coração se abriu ao outro coração no amor e no perdão? Aí aconteceu a ressurreição! Criaram os homens relações entre si mais justas e fraternas? Aí se realiza a ressurreição! Houve algum crescimento da vida, especialmente dos oprimidos e condenados? Aí se manifesta a ressurreição! Morreu alguém na bondade da vida ou sacrificado em bem de seus irmãos? Aí se inaugurou plenamente a ressurreição!"[8]

Muitas pessoas compreendem a ressurreição como algo distante. Ao contrário, ela começa a partir do momento em que nossa existência e nossas atitudes geram vida. É a partir daí que compreendemos a nossa grande Ressurreição em Jesus Cristo, Vida Plena, que jamais será aniquilada. A experiência da morte-ressurreição é o momento, em que nos tornamos definitivos, adquirimos a plenitude da liberdade e do conhecimento, porque passamos a ver a realidade com o olhar de Deus.[9]

---

[8] BOFF, Leonardo. Via Sacra da Ressurreição, in: BOFF, Leonardo. *Seleção de Textos Espirituais*. Petrópolis:Vozes, 1991, p. 75.
[9] Para aprofundamento, cf. BLANK, Renold J. *Escatologia da Pessoa*, São Paulo: Paulus, 2000.

II

CULTIVAR O SILÊNCIO E ENCONTRAR-SE COM DEUS EM MEIO AO BARULHO

Para se tornar um peregrino de si muitas vezes é necessário silenciar-se. Em um mundo dilacerado pelo barulho, discorrer sobre o silêncio pode ser perda de tempo, uma vez que o ser humano Pós-Moderno não tem muito interesse em cultivá-lo, porque, para uma grande maioria, é no barulho que está o prazer, visto que esse é indicativo de que vivemos numa civilização evoluída, tecnocrata, em que a técnica, apesar de produzir inúmeros efeitos positivos, também provoca efeitos contrários e faz com que cada vez mais o ser humano se torne saturado por vários elementos, tais como a poluição sonora, audiovisual, do ar, a degradação do meio ambiente e o surgimento de novas doenças.

Se há pessoas que idolatram o barulho, há outras que ficam desesperadas sem ele, pois não conseguem silenciar-se. Alguns poucos minutos e são tomadas pela ansiedade, pela angústia, pela dispersão, pela inquietação. Isto faz pensar se o barulho que se tem e se produz não é a manifestação de um ser humano que, interiormente, está mergulhado no cansaço do próprio ser e a tentativa é escapar, especialmente daquelas realidades traumáticas e frustrantes, talvez de um confronto com o próprio ser e existir. Em meio a esta realidade, o silêncio pode se apresentar como um caminho de cura, a partir de melhor compreensão dos acontecimentos da própria vida. Do ponto de vista espiritual, o silêncio se apresenta como elemento para captar e entrar em sintonia com Deus ou mostra os desertos, as noites escuras e as desolações. É um caminho pedagógico de encontrar-se a si mesmo e, no meio desse emaranhado complexo que é o nosso ser, perceber o Deus que se revela e que é *silêncio*.

Assim sendo, o objetivo deste texto é auxiliar no método de oração, qualquer que seja, principalmente a *Lectio Divina*, na experiência de Deus e da vida. O silêncio[1] é caminho de encontro consigo mesmo, com o outro e com Deus, daí a dificuldade que temos de fazê-lo.[2]

Em meio a tanto barulho...

Penso que o poema que se segue consegue colocar-nos na dinâmica da Pós-Modernidade:

Tudo é barulho ao meu redor!
Agitação constante de pessoas que correm contra o tempo
Sem tempo para si e para as outras.
Não há tempo de dar o sorriso, de olhar nos olhos.
Todos correm e vivem no anonimato sem nunca saber
quem é o outro.
Há barulho no céu, na terra, no ar e no interior das pessoas.
Celebra-se a liturgia do barulho!
Barulho que massifica e desmistifica o próprio homem,
Fruto de um progresso que obriga o ser humano a não ter
tempo para si.
Diante do barulho quero paz, quero silêncio...

---

[1] Recomendo: SCIADINI, Patrício. *Silêncio*. São Paulo: Loyola, 2000. Nele, há vários textos de diversos autores, bem como do próprio Frei Patrício, carmelita, que enfocam o silêncio sob prismas diferentes, mostrando a riqueza do mesmo. Também: GRÜN, Anselm. *As exigências do silêncio*. Petrópolis: Vozes, 2004. E revista *ORAR*, vol. 2, intitulada "Silêncio e oração". São Roque-São Paulo: edições Carmelitanas e Loyola, s/d.
[2] SCIADINI, *Silêncio*, p. 11.

II. Cultivar o silêncio e encontrar-se com Deus em meio ao barulho

Procuro silenciar-me exteriormente e buscar um contato
com meu interior
Impossível – os ruídos interferem tanto que não consigo
nem me encontrar
Fecho os olhos – só vejo pessoas apavoradas a correr
Tento não escutar – ouço buzinas, sirenes
Tudo é barulho sem fim!

Quero um momento para um encontro com o Senhor.
Diante desta convicção, continuo a caminhar
Lembro-me da minha força interior, do meu desejo
Decido-me a ir até o meu coração
Lá está o meu tesouro
Abro as portas do meu templo santo e entro
Nele habita o Espírito

Fecho novamente os olhos e me silencio profundamente,
apesar de todo o barulho
ao meu redor.
Caminho como as demais pessoas, num silêncio interior
ouvindo a voz do Espírito que habita em mim e nelas...
Nada me atormenta, sou como sou
Preciso de um tempo para mim para que eu possa ouvir a
voz de Deus.
É no silêncio de meu coração o lugar santo deste encontro
Neste silêncio repouso no Senhor, tranquilo.

O mundo cada dia revela surpresas para nós. As grandes descobertas que facilitam a vida das pessoas (embora poucas pessoas tenham acesso a esses recursos), tornando mais rápidas a comunicação, as viagens, a cura de doenças e uma série de benesses. O progresso científico e tecnológico é uma prova da capacidade inventiva e criativa do ser humano. Infelizmente, o progresso tecnológico não acompanhou o progresso humano e muitas invenções são utilizadas por aqueles que dominam a tecnologia com a finalidade de oprimir os mais fracos.

O avanço tecnológico trouxe consigo uma nova era, a do barulho. Nunca tivemos tanta poluição audiovisual como nos últimos tempos. Os grandes centros urbanos são a demonstração desse fato. Sem contar a poluição das nossas águas, das terras e de todo o planeta, que está definhando. As catástrofes ocorridas nas últimas décadas, o superaquecimento, o surgimento de novas doenças e a infertilidade do solo em algumas regiões são os reflexos da nossa falta de cuidado com o patrimônio que a nós foi concedido por gratuidade divina.

Se no passado, nas grandes catedrais, imperava o silêncio, ao som do canto gregoriano, hoje a realidade é outra. Na celebração cósmica do universo, estamos presenciando a liturgia do barulho. Esse barulho atinge a inteireza do ser humano. Isso provoca inquietação, estresse e depressão. Já não conseguimos parar diante de nosso semelhante e convidá-lo para um diálogo em que se deixe de lado as preocupações e em que se fale da vida que nasce, renasce e fenece. Não paramos para pensar na vida, talvez passemos pelos dias, pela vida, e não nos deparamos com pessoas caídas ao nosso redor. Às vezes, esquecemo-nos de que os mendigos somos nós e o outro que está ao nosso lado clama por um pouco de atenção. Será que paramos para pensar na quantidade de mendigos além daquelas vítimas da exclusão social, os da falta de diálogo em nosso tempo? Há mendigos dentro de nossas Igrejas, na vida sacerdotal, religiosa, leiga, nas nossas famílias. O que estamos celebrando na nossa vida, qual o nosso culto? Temos dificuldade de nos silenciar, porque o silêncio da escuta nos questiona, nos compromete.

1. A dimensão provocativa do silêncio

A dimensão do silêncio é profunda! Tão profunda que assusta, amedronta e angustia. Esses fatores são oriundos dos questionamentos que ele impõe. Ele tem um poder de colocar-nos diante de nós mesmos e isso provoca o medo do confronto, visto que não nos conhecemos. "Temos medo da verdade que aparece no silêncio solitário da noite", diz-nos Rubem Alves. Somos estranhos a nós mesmos, estrangeiros dentro do próprio ser. Ao silenciarmos, deixamos nosso próprio espírito falar e, às vezes, ele fala o que não queremos ouvir – não damos importância àquilo que nos assemelha ao próprio Deus e àquilo que de mais precioso possuímos.

Observando a experiência dos Padres do Deserto, homens sábios, de profunda intimidade com Deus, verifica-se o quanto eles cultivavam o silêncio. Quando interpelados pelos seus discípulos, ouviam-nos atenciosa e silenciosamente para depois darem a sentença. O Abade Isaías disse: "Prefere calar a falar, pois o silêncio entesoura e o falar dispersa". O Abade Pastor proferia: "Quaisquer que sejam teus sofrimentos, a vitória sobre eles está no silêncio".

Este pequeno trecho sobre o Aba Arsênio mostra-nos as características da espiritualidade do deserto: fugir, ficar em silêncio e rezar.

> Enquanto ainda morava no palácio, o Aba Arsênio rezou a Deus com estas palavras: "Senhor, guiai-me no caminho da salvação". E uma voz lhe disse: "Arsênio, foge para o deserto e serás salvo". Depois de viajar em segredo de Roma a Alexandria e se retirar para a vida solitária (no deserto), Arsênio rezou de novo: "Senhor, guiai-me no caminho da salvação", e de novo

ouviu uma voz dizer: "Arsênio, foge, fica em silêncio, reza sempre, pois essas são as fontes da pureza".[3]

Além de favorecer a dimensão orante, conforme o ensinamento dos Padres do Deserto, o silêncio provoca a totalidade de nosso ser e inquieta-o. Ele nos leva à nossa sexualidade, à nossa afetividade, por consequência ao nosso existir, ao nosso sentir, ao nosso prazer, à nossa dor, às nossas alegrias, às nossas tristezas, às nossas esperanças, aos nossos desejos e afetos, à "impressão digital" do nosso ser, isto é, aquilo que nos caracteriza como pessoas. Portanto, o silêncio nos tira de nós mesmos para podermos nos reencontrar.

Quando amamos alguém, contemplamos o ser do outro na mais profunda intimidade. Saímos de nós mesmos e ficamos extáticos, sem dizer uma palavra. Não precisa a palavra, bastam o olhar e o coração. E tudo atinge o pleno gozo: "O silêncio é a medida do amor. Só quem se ama sabe curtir o silêncio a dois".[4] Foi assim que os grandes místicos, como São João da Cruz, Santa Teresa d'Ávila, os Padres do Deserto e muitos outros (nos dias de hoje também, muitos outros o fazem), tiveram tal experiência, a do profundo êxtase. Quando atingiram esse estágio, alcançaram o mais alto grau da contemplação, que se deve não a um fato miraculoso, mas porque no silêncio profundo buscaram encontrar a si próprios e atingiram tal prodígio, podendo contemplar a maravilha do próprio Deus. Na profunda descoberta de si, descobriram-se como criatu-

---

[3] WARD, Benedicta. Trad. para o inglês: *The Sayings of the Desert Fathers*. London/Oxford: Mowbrays, 1975. p. 8. Apud: NOUWEN, Henri J. M. *A espiritualidade do deserto e o ministério contemporâneo;* o caminho do coração. 2. ed. São Paulo: Loyola, 2000, p. 13.

[4] FREI BETTO. O silêncio. *O Estado de S. Paulo*, São Paulo, 16 jul. 1997, p. A2.

ras amadas pelo Criador e, ao se sentirem profundamente alegres, deu-se o êxtase. Somente assim torna-se possível rezar com o salmista: "Senhor, tu me examinas e me conheces, sabes quando me sento e quando me levanto. Penetras de longe meus pensamentos [...] Examina-me, ó Deus, e conhece meu coração, prova-me e conhece meus sentimentos" (Sl 139 [138],1-2.23).

2. As cinco etapas do silêncio

Para a compreensão do silêncio dentro de uma mística profunda, devemos procurar entender e percorrer um caminho para chegarmos à união e à intimidade com Deus. Trata-se das quatro dimensões do silêncio que nos conduzem ao mais profundo relacionamento com Deus. Sem grande ousadia, é o silêncio que nos permite contemplar o interior de Deus. Assim, avancemos neste nosso empreendimento.

O silêncio kenótico

O silêncio *kenótico* é a primeira manifestação profunda do silêncio. É o momento em que suspendemos todos os nossos juízos, pensamentos e preocupações. Em outras palavras, é quando mergulhamos em nosso interior e deixamos a nossa casa limpa, pronta para receber o ilustre visitante, Deus. No silêncio *kenótico*, perguntamos: de que quero me esvaziar?

Ora, se o silêncio *kenótico* nos leva às nossas profundezas interiores, logo nos coloca frente a frente com nós mesmos, permitindo-nos introduzir no mistério orante de Cristo, porque abre os canais da graça, possibilitando-nos auscultar as sutilezas que Deus nos reserva e contemplar com profundidade a realidade que nos cerca.

Kénosis significa despojar-se de si mesmo, desapegar-se do próprio "eu" das nossas seguranças. Não é um desapegar desprezível, mas o de um profundo desejo de deixar a ação de Deus penetrar na profundidade de nossas ações. Esse despojar de si é como a argila que aos poucos vai se modelando nas mãos do oleiro. Assim somos nós nas mãos do Eterno Oleiro! Na verdade, a *kénosis* não nos esvazia de nada, a não ser de nossas amarras interiores. Se assim o fazemos, ela é libertação das prisões que nós mesmos criamos, que se tornam fortalezas que nos escondem do amor profundo de Deus. Bernhard Häring nos diz: "A *kénosis* só aparentemente é que é 'esvaziamento'. Na realidade, ela é todo um empenhamento para dar lugar à riqueza do poder da graça de Deus, a fim de nos tornarmos imunes contra as ciladas do orgulho".[5]

O mistério da *kénosis* nos ajuda a compreender o processo redentor de Jesus Cristo: sua encarnação, sua vida, sua missão, sua morte e ressurreição. A vida de Cristo foi uma *kénosis* perene. O ápice dela, no alto da cruz, ao dizer: "Pai, em tuas mãos entrego o meu espírito" (Lc 23,46). Na verdade, naquele momento culminava e se corroborava sua entrega oblativa à humanidade e ao Pai, de onde viera. Para isso, esvaziou-se de si, precisando morrer, aniquilar-se (Fl 2,1-11). Desse modo, a compreensão da ressurreição só é possível pelo mistério da *kénosis*. A morte é um processo *kenótico* que nos permite a ressurreição. Portanto, o silêncio *kenótico* é uma profunda experiência de amor. Somente ama quem sabe perder, dar-se ao outro incomensuravelmente. É isso que nos exige o silêncio *kenótico*: dar-se a si mesmo, ao outro e a Deus, sem reservas.

O silêncio *kenótico* nos convida a uma perda amorosa que nos vai possibilitar perder tudo para ganhar a nós mesmos, o outro e a Cristo. Não estamos lidando aqui com a categoria de perfeição, mas com aquilo que é possível à realidade hu-

---

[5] HÄRING, Bernhard. A *kénosis*: ganhar, perdendo. In: *Vida em Cristo plenificada*. Aparecida/Porto: Santuário/Editorial Perpétuo Socorro, 1998, p. 138.

mana. Superar os obstáculos do preconceito, da exclusão, da falta de diálogo, da falta de solidariedade é caminho possível ao ser humano. É necessário ter muita disposição interior!

O silêncio ontológico

O silêncio ontológico nos conduz às fundações do nosso ser, à nossa habitação interior, aos resgates da dimensão sacral que há em nós e do sopro divino, que, muitas vezes, esquecemos no decorrer de nossa vida. Ajuda-nos a refletir que não somos anjos, nem demônios, somos puramente humanos e temos virtudes e ambiguidades. E ser humano significa dialogar com uma interioridade, com um *eu interior*, com a história pessoal e com uma realidade que a cerca, existente num tempo e num espaço. Esse é o momento em que nos vemos frente a frente com nós mesmos, nus, desarmados de nossas verdades absolutas, arcaicas, colocando-nos em profunda crise de questionamentos que nos provoca uma catarse. O silêncio ontológico, na sua profundidade, conduz-nos ao abismo existencial de nosso ser para enchê-lo de significado e avançar para águas mais profundas do mar de nossa existência.

Isso significa atitude dialética. O silêncio ontológico leva-nos ao diálogo com a palavra do próprio ser e com o ser da própria palavra. Significa que o nosso ser emite uma palavra sobre si mesmo, porque é verbo e essa palavra possui dimensão qualitativa, o que significa que ele se abre para a verdade que se vai revelando no processo catártico. É quando mergulhamos no nosso próprio ser – encontrando a nossa originalidade –, dialogando com o próprio eu.

Aqui é o momento em que passamos das coisas exteriores que há em nós e mergulhamos na história pessoal, na nossa constituição bio-físico-psicológica, nos valores pessoais e culturais, permitindo o resgate do nosso ser. Nesta etapa, a questão central é: quem sou eu? O silêncio ontológico nos proporciona entrar em contato com o nosso passado, reconciliar-mo-nos com ele e entrar em profunda comunhão com o nosso ser. Possibilita-nos recomeçar, dando-nos a esperança que nos conduz à perfeição. Depois de entrar em contato com o *eu profundo*, o silêncio se encarregará de nos levar ao mistério.

O silêncio mistagógico

Estamos na terceira dimensão do silêncio, que denominamos *mistagógico*. Ele nos colocará diante do mistério, do inefável, da realidade que provocará em nós, seres humanos, o supremo desejo e a grande pequenez. Originalmente, a palavra mistagogia estava ligada aos ritos e aos mitos pagãos. Posteriormente, passou a designar o conhecimento de Deus através do mistério. Além disso, é o ato de iniciar e instruir alguém às coisas misteriosas de uma religião, rito ou culto.

O silêncio mistagógico é revelador da transcendência e da imanência, isto é, da realidade teândrica. Deus é mistério, o humano também o é. Estamos, portanto, diante de duas realidades místicas, a divina e a humana, cada qual com suas características. Entretanto, é na dimensão silenciosa que o ser humano vai buscar a sua transcendência, na imanência do Criador, ao mesmo tempo que a imanência na transcendência do Criador. Exatamente aí está o mistério, porque ultrapassa a lógica humana. Todavia, apesar do limite dessa lógica, o mistério prescinde dela. A lógica é importante, mas o mistério é experiencial e se encontra na dimensão da sensibilidade e da abertura e, consequentemente, da sabedoria.

Nesse sentido, o silêncio mistagógico é a via que conduz ao mistério para que se possa fazer a experiência dele. É como um poço profundo: quando olhamos, não podemos perceber a água, mas, se adentramos no próprio poço, se descemos à sua profundeza, rompendo a escuridão, conseguimos atingir a água que lá se encontra.

O silêncio mistagógico convoca o ser humano a se descobrir e a perceber que é profundamente mistério. Somente quem se compreende como mistério é capaz de revelar o transcendente e o imanente que tem dentro de si. Quem experimenta o silêncio mistagógico contempla a *beleza interior* e se revela com *beleza* para o mundo. O silêncio mistagógico faz o ser humano surpreender-se e extasiar-se por ser humano e assumir para si todos os limites do ser, não fazendo disso pretexto para ocultamento de si, mas para penetrar no mistério que está além de si.

Quando uma pessoa se torna capaz de silenciar diante de uma obra de arte ou de uma flor, indo além das suas aparências, buscando o seu mistério, consegue fazer a experiência do silêncio mistagógico. É transpor a realidade apresentada, conseguindo captar a beleza que está oculta nela. É perceber, ao olhar o quadro, o Criador nele, Criador que se fez presente nas mãos de quem o fez, independentemente de convicções religiosas. É perceber na flor o mistério da criação que se revela e o Ser Criador que se revela na bondade e na beleza de suas criaturas.

Leonardo Boff afirma:

> Mistério, portanto, não constitui uma realidade que se opõe ao conhecimento. Pertence ao mistério ser conhecido. Mas pertence também ao mistério continuar mistério no conhecimento. Aqui está o paradoxo do mistério. Ele não é o limite da razão. Ao contrário. É o ilimitado da razão. Por mais que conheçamos uma realidade, jamais se esgota nossa capacidade de conhecê--la mais e melhor. Sempre podemos conhecê-la mais e mais indefinidamente.[6]

---
[6] BOFF, Leonardo. *Ecologia, mundialização e espiritualidade.* São Paulo: Ática, 1993, p. 145.

Portanto, o ser humano experimenta Deus pelo mistério, pois jamais pode defini-lo.

O silêncio mistagógico nos conduz a uma profunda experiência do mistério e a uma espiritualidade mistagógica. "A espiritualidade dos primeiros monges é mistagógica, ou seja, ela conduz para dentro do mistério de Deus e do homem."[7] Deus é, para nós, seres humanos, o grande Mistério! E nós, seres humanos, também somos mistério! Entretanto, nós fazemos e podemos fazer a experiência do mistério quando tudo parece impossível. Não podemos limitar a presença e a manifestação de Deus, pois ele é intransponível em face do mistério de si mesmo, numa dinâmica que se revela ao longo da existência humana, no *kairós*.

Não conseguimos ver Deus, fazer a experiência palpável, mas podemos ler através da história e da nossa história pessoal e da natureza as pegadas dele. Um exemplo disso é São Francisco, que soube ler tais sinais. O silêncio mistagógico nos incita a perscrutar o Mistério de Deus, numa atitude de fé que nos permite sempre querer experimentar aquele que é a nossa razão de ser. Suscita em nós a realidade do amor autêntico perante aquele que nos criou. Assim, quanto mais o amamos, mais o conhecemos! Nesse grau, conseguimos perscrutar, além do mistério que é Deus, o mistério que somos nós mesmos. Somos transcendência-imanência, numa profunda relação entre o *fascinium* e o *tremendum*, que jamais conseguiremos transcrever em palavras, mas que fazemos por intermédio da nossa entrega a Deus. Só não faz a experiência de Deus o ser humano que se fecha a todos os canais da graça. Deus, como é plena liberdade, respeita a vontade humana, mas, como é Senhor do tempo e da história e é profundo amor, aguarda ansiosamente o retorno daquele filho pródigo.

---

[7] GRÜN, Anselm. *O céu começa em você*. Petrópolis: Vozes, 1999, p. 13.

Nesta etapa do caminho espiritual conseguimos vislumbrar para além de nós mesmos e dar o salto qualitativo da fé. Conforme nos diz São Paulo, "a fé é a certeza daquilo que ainda se espera, a demonstração de realidades que não se veem" (Hb 11,1).

Assim, o silêncio mistagógico nos dá intimidade diante do mistério. Não o mistério indecifrável, mas aquele que nossa mente e nosso coração não conseguem abarcar, por limitação de nosso ser. O certo é que fazemos a experiência de Deus à medida que nos entregamos a ele. Para esse encontro, nosso convite se chama abertura!

O silêncio antropofânico

Esse tipo de silêncio está relacionado à capacidade de ouvir as próprias vozes interiores que dão lugar às inquietações e aos ruídos, de modo que se pode compreender a si próprio. O silêncio capta as realidades mais profundas de nosso ser, o que permite dar uma palavra sobre si mesmo: quem sou eu. A antropofania é a manifestação do humano. Em nível contingente isso não é possível para nós, devido aos nossos limites de compreensão e de percepção de nós mesmos. Entretanto, o silêncio antropofânico é a possibilidade de chegarmos humanamente ao conhecimento mais profundo de nós mesmos e descobrirmos as potencialidades, dons e o significado da imagem e semelhança de Deus em nós. Este silêncio nos permite contemplar que Deus nos criou como sua obra de amor. Portanto, evoca o nosso próprio valor como pessoas e como criaturas que nasceram do amor e da bondade divinos.

Nesta fase do exercício espiritual acontece o encontro-contemplação da beleza e percepção da graça divina que há em nós.

O silêncio teofânico

Por último, o *silêncio teofânico*, aquele em que, no profundo esvaziamento do ser, se encontra o mistério e se deixa a voz de Deus falar. Ele nos faz indagar: quem é Deus para mim? Como se manifesta na minha existência? Essa atitude dialógica faz com que encontremos o mistério e o escutemos. O silêncio teofânico é nosso calar diante da grandeza de Deus e de todos os seus atributos e perceber que tudo aquilo que criou é parte de sua grandeza, portanto nós o somos de maneira predileta. Conforme canta o salmista, ele nos fez pouco menos do que ele próprio, coroando-nos de glória e de beleza (cf. Sl 8,6). É o momento da contemplação profunda!

A teofania é a revelação ou manifestação da glória de Deus ao ser humano. Nas Escrituras, temos algumas teofanias, como, por exemplo, a experiência de Abraão (Gn 18), de Isaac (Gn 26,2), de Jacó (Gn 32,25-31; 35,9), de Moisés: "Eu sou aquele que sou" (Êx 3). Esses eventos demonstram a maneira como Deus se revelou aos patriarcas. Em termos do Novo Testamento, as grandes teofanias de Deus ocorrem em Jesus Cristo, na sua encarnação (Lc 2,1-2; Jo 1,14-18), no seu batismo e preparação para a missão (Mt 3,13-17; 4,1-17), na sua transfiguração no monte Tabor (Mt 17,1-8), na sua ressurreição (Mt 28,1-7) e ascensão ao céu (At 1,3-11). Essa pequena retomada nos ajudará na compreensão do que denominamos silêncio teofânico, aquele que nos possibilita ouvir a voz de Deus. Somente quem tem ouvidos e coração atentos é capaz de escutar. É ele que permite o encontro de Deus que se torna infinitamente pequeno e encarna em nossa realidade, envolvendo-nos do mais profundo amor. É a manifestação do transcendente que envolve o imanente e que faz, como diria Pascal, a experiência do infinitamente grande e do infinitamente pequeno. Conforme São João da Cruz, é o momento em que, chegando ao estado da união divina, a alma goza de grande sossego em suas potências naturais e tem adormecidos os seus ímpetos e ânsias sensíveis na parte espiritual.[8] Assim, mediante o Deus que se manifesta, a alma purificada faz a íntima experiência do amor, da profunda consolação e da íntima presença.

Esse estágio é de uma mística profunda. Aqui, nosso ser é invadido aos poucos e começamos a sentir o sabor do silêncio. Cessam-se todas as vozes de nossos desvarios interiores e queremos ficar a sós, em comunhão com o Eterno, que nos fala com a voz do próprio silêncio que envolve nosso ser desde as nossas vísceras. Nesse grau, ouvimos o diálogo amoroso de Deus conosco.

3. Silêncio: escuta amorosa de Deus

O silêncio nos conduz à escuta amorosa de Deus. Escutar/ouvir supõe atitude discipular, obediente. O discipulado do silêncio conduz ao serviço caritativo que vai ao encontro do outro e o acolhe tal como ele é, e escuta Deus, que também fala através do outro. O grande exemplo é o de Maria (Lc 1,29-45), que ouviu o anúncio do anjo, pôs-se a pensar sobre o significado da saudação e partiu para visitar Isabel.

A Sagrada Escritura está cheia de textos que se referem à escuta humana de Deus. Para o israelita, ouvir tem implicações profundas em sua vida, em seu agir ético-espiritual. Em poucas palavras, podemos afirmar que os israelitas foram o povo da escuta de Deus, e quando não o fizeram sofreram consequências desastrosas nas suas vidas. Para escutar é necessário calar, silenciar, abrir os ouvidos e se pôr atentamente à escuta de quem fala. Como escutar Deus se nós não o vemos? Um

---
[8] JOÃO DA CRUZ. *Subida ao monte Carmelo*. 4. ed. Aveiro: Edições Carmelo, 1977. Livro I, cap. I, p. 18.

diálogo supõe dois interlocutores, um que fala e outro que ouve. No entanto, Deus nos fala e nós não o vemos... Assim, sem a escuta amorosa Deus será o eternamente desconhecido, somente nos provocará temor, jamais seremos capazes de estabelecer com ele diálogo recíproco. Ele é o nosso interlocutor silencioso e nos interpela com a voz do silêncio... Deus é dialogante e dialogável, basta querermos auscultá-lo!

A atitude de ouvir não é fácil, principalmente quando se trata de pessoas que nos dizem coisas que não estamos a fim de escutar. Ouvir os amigos é fácil, ouvir estranhos com seus problemas requer ascese. Todavia, se quisermos fazer uma profunda experiência de Deus é necessário ouvir e adquirir para si a atitude do escritor bíblico quando conclama:

> Ouve, Israel: O Senhor, nosso Deus, é o único Senhor. Amarás o Senhor, teu Deus, de todo o teu coração, de toda a tua alma e com todas as tuas forças. Estas palavras, que hoje te ordeno, estejam em teu coração. Tu as ensinarás a teus filhos e delas falarás sentado em casa, andando pelo caminho, ao deitar-te e ao levantar-te; tu as prenderás a tua mão como um sinal, e serão como um frontal entre teus olhos; tu as escreverás nas portas de tua casa e nas entradas de tua cidade (Dt 6,4-9).

Indubitavelmente, esses versículos nos fornecem elementos preciosíssimos que nos ajudam a refletir sobre a escuta amorosa a Deus. O *Shemá* é um imperativo que revela uma convocação, a confissão da fé israelita na unicidade de Iahweh: um só é libertador e por causa da sua ação libertadora no mundo deve ser lembrado incessantemente e amado de geração em geração, pois seus feitos marcaram intensamente a vivência do povo. Evoca a profundidade do ouvir inefável. Trata-se de ouvir profundamente, auscultar, prestar atenção, dar ouvidos, compreender, acolher, entender, examinar, discernir, tornar-se obediente, consentir. É colocar em prática aquilo que se ouviu conjugado à vida, de tal forma que aquele que escutou anuncia, proclama e convoca os outros a fazerem a experiência do Deus único.

A implicação dessa escuta é o amor. Essa escuta profunda é feita *de cor* (*cor, cordis* = aprender *de cor* é aprender com o coração, conforme a etimologia latina!), com o *leb* (= coração), local do conhecimento, do pensamento, da índole, da vontade, da memória. É onde está o centro das decisões humanas, onde o ser humano é aquilo que é. É o local da consciência.

Somente quem faz a experiência de ouvir o outro é capaz de amá-lo na sua totalidade, de todo o coração. Amar de todo o coração é dar-se por gratuidade, sem reservas, de coração a coração e sentir a alegria, o medo, a coragem, o descontentamento, o sofrimento, o desejo, a tristeza, e é onde se experimenta a palavra perene (Dt 6,6). Amar de todo o coração implica ir ao centro das nossas decisões e da gênese de nossas intenções e fazer a experiência do amor Absoluto, Deus, com toda a *nefesh* (v. 5), que pode ser traduzida por vida, alma, apetite, garganta, e a respiração, que possibilita ao homem viver. É a criatura com toda a vida, com toda a animosidade do ser, com seus apetites e desejos, com seu ser e existência, com as misérias humanas. É a experiência da indigência que deseja em Deus extraordinariamente com todas as forças.

4. Silêncio e presença de Deus

Se o silêncio é uma escuta amorosa, ele nos faz entrar na intimidade de nosso ser, dentro de nosso templo interior, e perceber Deus que vem chegando vagarosamente dentro deste santuário que ele próprio criou para contemplar a sua maravilhosa obra. É lá na profundidade que Criador e criatura se contemplam, que se capta a experiência profunda do amor de Deus que chega e envolve plenamente o humano em sua totalidade. Tagore nos ajuda a meditar sobre o silêncio enquanto presença:

> Se não falas,
> Encherei meu coração com teu silêncio
> E o guardarei comigo.
> E quieto esperarei,
> Como a noite em seu desvelo estrelado,
> Com a cabeça pacientemente inclinada.
>
> A manhã virá sem dúvida
> E a sombra se desvanecerá.
>
> Tua voz há de derramar-se
> Por todo o céu
> Em arroios de ouro.
> E tuas palavras voarão
> Cantando
> De cada um de meus ninhos.
> E tuas melodias desabrocharão em flores
> Por minhas profusas ramarias.[9]

Santo Agostinho, no século IV, mostra a importância de se deixar um espaço à meditação e ao silêncio. Para isso, a necessidade de se recolher, isolar-se de todo ruído, mergulhar na intimidade da alma, deixando de lado o barulho e a confusão, escutar com sossego a palavra para entendê-la.[10]

---

[9] TAGORE, Rabindranath. Apud ALMEIDA, João Carlos (Padre Joãozinho). *Cantar em Espírito e verdade. Orientações para ministério de música.* 6. ed. São Paulo: Loyola, 1990. p. 6.
[10] AGOSTINHO, Santo. Sermões 52, 22. In: *Obras de San Agustín.* Madri: BAC, 1950. t. VII, Sermones, p. 73.

II. Cultivar o silêncio e encontrar-se com Deus em meio ao barulho

Para ele, o silêncio é caminho para se chegar à interioridade, captar a voz da verdade e entendê-la.

Só obtemos o verdadeiro silêncio quando ouvimos o bater do próprio coração e, em meio ao barulho, o próprio caminhar. O silêncio atinge e penetra o coração humano e é aí que está a nossa interioridade, lugar onde somos o que somos. Nele estão contidas duas dimensões – oração e ação. O silêncio orante nos coloca em profunda comunhão com a Trindade que nos impulsiona à ação.

Esta pequena parábola nos ajuda a compreender isso:

> Um rei mandou seu filho estudar no templo de um grande mestre com o objetivo de prepará-lo para ser uma grande pessoa. Quando o príncipe chegou ao templo, o mestre o mandou sozinho para uma floresta. Ele deveria voltar um ano depois, com a tarefa de descrever todos os sons da floresta. Quando o príncipe retornou ao templo, após um ano, o mestre lhe pediu para descrever todos os sons que conseguira ouvir. Então disse o príncipe: "Mestre, pude ouvir o canto dos pássaros, o barulho das folhas, o alvoroço dos beija-flores, a brisa batendo na grama, o zumbido das abelhas, o barulho do vento cortando os céus...". Terminado o seu relato, o mestre pediu ao príncipe que retornasse à floresta, para ouvir tudo o mais que lhe fosse possível. Apesar de intrigado, o príncipe obedeceu à ordem do mestre, pensando: "Não entendo, já distingui todos os sons da floresta...".
> Por dias e noites ficou sozinho ouvindo, ouvindo, ouvindo... Mas não conseguiu distinguir nada de novo além daquilo que havia dito ao mestre. Entretanto, certa manhã, começou a distinguir sons vagos, diferentes de tudo o que ouvira an-

tes. E quanto mais prestava atenção, mais claros os sons se tornavam. Uma sensação de encantamento tomou conta do rapaz. Pensou: "Esses devem ser os sons que o mestre queria que eu ouvisse...". E, sem pressa, ficou ali ouvindo e ouvindo pacientemente. Queria ter certeza de que estava no caminho certo. Quando retornou ao templo, o mestre lhe perguntou o que mais conseguira ouvir. Paciente e respeitosamente o príncipe disse: "Mestre, quando prestei atenção, pude ouvir o inaudível som das flores se abrindo, o som do sol nascendo e aquecendo a terra e o som da grama bebendo o orvalho das noites...". O mestre, sorrindo, acenou com a cabeça em sinal de aprovação, e disse-lhe: "Ouvir o inaudível é ter calma necessária para se tornar uma grande pessoa. Apenas quando se aprende a ouvir o coração das pessoas, seus sentimentos mudos, seus medos não confessados e suas queixas silenciosas, uma pessoa pode inspirar confiança ao seu redor, entender o que está errado e atender as reais necessidades de cada um. *A morte do espírito começa quando as pessoas ouvem apenas as palavras pronunciadas pela boca, sem atentarem no que vai ao interior das pessoas para ouvir seus sentimentos, desejos e opiniões reais. É preciso, portanto, ouvir o lado inaudível das coisas, o lado não mensurado, mas que tem o seu valor, pois é o lado mais importante do ser humano.*[11] (Grifo nosso!)

---

[11] *Os sons do silêncio*. Esse texto chegou ao meu conhecimento, mas não foi possível identificar o autor. No entanto, pela sua densidade, tomo a liberdade de citá-lo.

O silêncio é tão precioso para o ser humano e para a natureza que são necessários períodos de paradas. Quando a semente é germinada, está silenciosa, da mesma forma como quando estávamos no ventre de nossa mãe... Nosso repouso diário, nosso sono, é o silêncio que nos recompõe.

5. Um tesouro que não se deve perder...

O silêncio nos ajuda, no processo de integração pessoal, a compreender as nossas luzes e as nossas sombras e a conviver harmoniosamente com elas. O silêncio provoca sensibilidade e, na hora certa, dá respostas às inquietações pessoais.

> O silêncio é claramente uma disciplina necessária em muitas situações diferentes: no ensino e no aprendizado, na pregação e no culto, nas visitas e no aconselhamento [...] pode ser considerada uma cela portátil trazida conosco do lugar solitário para o meio de nosso ministério. O silêncio é a solidão praticada em ação.[12]

A ausência do silêncio nos faz perder a sensibilidade! Não devemos nos esquecer em nossas orações pessoais e comunitárias de que os momentos de silêncio são importantes para a interiorização. Muitas vezes fazemos de nossas orações pessoais e comunitárias verdadeiros discursos. Queremos colocar tudo o que sabemos e o que menos fazemos é orar. Não deixamos o Espírito falar, saturamos com a nossa razão discursiva o coração afetuoso que quer saborear o silêncio emanado pelo sopro do Espírito. O silêncio possibilita auscultar o Espírito de Deus que fala e convida a voltar às fundações de nosso ser, revê-las, e lançar na dimensão da criatividade e de uma vida nova.

---

[12] NOUWEN, Henri J. M. *A espiritualidade do deserto e o ministério contemporâneo;*..., p. 40.

O silêncio nos leva à comunhão contemplativa com todo o universo, a sentir que fazemos parte dele e, ao mesmo tempo, a contemplá-lo como obra do Criador. Permite criar uma consciência reflexiva e ecológica, despertar para a beleza emanada do cosmo, percebê-lo como a grande casa que abriga o ser humano e o sustenta para poder desenvolver suas potencialidades.

Há quem se desespere porque não consegue silenciar-se. De fato, é um caminho lento e árduo, de constante exercício e abertura ao Espírito. Há também quem consegue silenciar-se profundamente em meio ao barulho. Uma pessoa consegue entrar em alto grau de meditação na medida do seu grau de intimidade com Deus. E se quer, de fato, rezar, deve calar-se. Rubem Alves afirma: "Amamos uma pessoa pelas palavras que a ouvimos dizer, por vezes, em silêncio". Portanto, a grande palavra, o Verbo, quer nos enamorar, falar-nos, devemos ouvi-lo. Eis um caminho para a mística. O silêncio ajuda a experimentar Deus. A experiência de Deus torna-nos humildes e ricos, porque ele inunda o nosso ser. É como se fôssemos um pequeno rio que se conflui no oceano. Deus é força que nos arrebata e invade. Quando isso acontece estamos na dimensão profunda da mística e, muitas vezes, esta acontece no silêncio, e nós nem sempre a percebemos.

III

O RETIRO ESPIRITUAL COMO CAMINHO DE PEREGRINAÇÃO INTERIOR

O Peregrino se retirou para encontrar-se consigo mesmo e isso durou uma existência! A Igreja, na sua longa tradição e sábia experiência, sempre recomendou aos seus fiéis e aos seus pastores momentos de parada para reavaliarem a caminhada pessoal e comunitária. Trata-se de um momento de confrontar a própria interioridade, analisar as perdas e os ganhos das próprias escolhas, os caminhos retos, as encruzilhadas, as decisões com suas consequências positivas e negativas. Decisões são importantes na vida e precisam ser bem refletidas, discernidas e escolhidas com sabedoria. Nem sempre na vida tomamos as melhores decisões, entretanto, em certos momentos talvez são aquelas as que estão dentro das nossas condições, embora ainda faltasse o tempo ou o discernimento necessário. Para isso se requer muita escuta, muita oração, muito silêncio, atenção ao coração e à voz do Espírito Santo e, muitas vezes, retirar-se, ficar sozinho, ouvir a voz de Deus e a do coração humano.

Neste capítulo, para aprofundar o itinerário espiritual, abordaremos a dinâmica do retiro espiritual como caminho de peregrinação interior, como busca da novidade divina que há dentro de cada pessoa e as descobertas profundas decorrentes do próprio retiro: refletir sobre o sentido da vida, experimentar o amor de Deus, recordar e buscar a santidade de Deus em nós e o ser discípulo colocando-se a caminho com o Mestre.

1. Retirar-se para buscar a novidade de Deus que há dentro de si

Constataremos que o verbo retirar tem várias acepções: tirar de onde estava, retrair, recolher, afastar, ir-se, partir, ausentar-se, fugir, debandar, isolar-se. Por correlação "retiro" é lugar de afastamento, de retirada e de solidão. E não somente isto! Jogando com a palavra, significa: re--tirar. Tirar quer dizer: extrair, sacar, puxar, fazer sair, despir, descalçar, arrancar, auferir, afastar-se. Portanto, retirar-se é um tirar novamente, tirar outra vez, retirar aquilo que está no profundo do coração com a ajuda do Espírito Santo que nele habita. Depreende daí muitos termos para meditar na experiência de retiro.

Ao iniciar um retiro é importante colocar a seguinte pergunta em primeira pessoa: do que quero me retirar? Por que quero retirar-me e o que quero retirar do retiro? O que preciso re-tirar de minha vida? Da minha vocação, da minha experiência de cristão? Como deixar o Espírito falar ao meu coração? Como lhe ser dócil?

O retiro é tirar muitas coisas de nossa vida pessoal, como sujeito histórico que se relaciona com o mundo; espiritual, como sujeito aberto ao horizonte divino; e comunitária, sujeito que se relaciona com o semelhante; trazê-las à superfície para discernir, peneirar, submeter à purificação e ao cadinho. É adentrar-se profundamente no interior que precisa de renovação e fazer nascer novos conceitos, novas experiências, arrancar o joio do trigo, despir-se dos medos e das máscaras pessoais, descalçar-se das botas do orgulho, do poder, da arrogância; afastar-se de si e puxar o cerne do homem novo que há nas profundezas existenciais e colher as experiências de consolação e também as de desolação, se houverem.

É uma pausa para se recompor em todos os sentidos – física e espiritualmente. O corpo, a mente e o espírito precisam de um tempo, o Tempo da Graça. Aliás, a cultura judaica tinha a tradição do ano da graça (Is 61,2), um período de perdão das dívidas, do descanso da terra e da libertação dos escravos. Também devemos proclamar para nós este tempo novo, na experiência do retiro, para recompormos a integralidade de nosso ser e alimentar a nossa vida espiritual. É a parada propícia para uma profunda experiência de Deus. É permitir Deus ser Ele mesmo e deixá-Lo agir em nós como e quando quiser. Ele está além de nossa curta e pobre compreensão filosófico-teológico-espiritual. É importante que deixemos que Ele nos seduza, leve-nos para o deserto, conquiste o nosso coração (Os 2,16) e nos traga a vida, tirando-nos dos vales dos ossos ressequidos (Ez 37,1-14) para que possam, a partir da carne que nos é doada pelo Espírito, recriar o homem novo que deve habitar e transformar este mundo.

O retiro é um tempo propício para uma profunda experiência de si mesmo e de Deus. É o momento que cada um deixa a dura monotonia de *kronos* (tempo cronológico, o tempo do relógio) e abre-se ao *kairós* (tempo da graça), tempo vital, oportuno, dado a cada um para experimentar o humano e o divino de si e o divino e o humano do próprio Deus. É o momento de abertura à graça divina, de deixar-se modelar pelas mãos do Grande Oleiro que cria e recria a cada um de nós a cada instante. E somente quem se prontificar e se lançar sem hesitação nesta aventura pode fazê-la. E isto se faz pela oração, silêncio e meditação. É fazer a experiência de se colocar a caminho na grande peregrinação existencial que implica deixar coisas velhas e pensar um novo itinerário para a vida e ir ao encontro da grande luz, Deus. Nesse processo experimentar-se-á alegria, tristeza, consolação, desolação, deserto, desejos, solidão, questionamentos e contentamento. Para tanto, é fundamental se abrir ao Espírito, Deus conosco, para ser modelado pelas pontas dos dedos do oleiro. Trata-se de peregrinar, lançar-se nas águas mais profundas (Lc 5,4) de si mesmo, de confrontar-se e de experimentar Deus e o humano de si mesmo e daqueles que convivemos na nossa caminhada.

Retirar-se é quebrar a rotina do cotidiano e deixar-se passar pela crise para experimentar a profunda comunhão com Deus, de todo o coração, com toda a potencialidade, mesmo com os condicionamentos existentes. É lançar-se no seio profundo do próprio Deus. É dar tempo a si para que o Espírito Santo de Deus possa agir na intimidade e transformar a interioridade. É fazer de si uma grande habitação de Deus. É escutar-se e mergulhar dentro de si.

São Cipriano de Cartago lembra: "como podes pretender que Deus te escute, se tu não escutas a ti mesmo? Tu queres que Deus pense em ti, quando tu mesmo não pensas em ti". É deixar-se ser, desnudar frente a Deus; deixar de lado qualquer maneira de teologizar Deus, mas senti-lo, calar-se frente a este mistério. Por isso requer silêncio! Não teorizar Deus, mas experimentá-lo, saboreá-lo em nossa vida. Talvez em outro momento, tentar conceituá-lo!

O retiro é tempo de recordar, passar novamente a existência pelo coração, de reconsiderar a história pessoal, vocacional e relacional. Deus deve nos tomar pela mão e nos conduzir e, nesse caminho, seremos seduzidos pelo Senhor. Assim, o retiro é o tempo do Espírito que nos conduz ao deserto para enfrentarmos as nossas feras interiores, prendê-las ou extirpá-las e voltarmos ao centro de nosso projeto – uma vida em consonância com o projeto do Pai como fez Jesus.

Jesus sempre tirou um momento para estar em intimidade com o Pai. Os Evangelhos nos mostram que Ele sempre dedicou um tempo para si. Antes de uma missão retirava-se para rezar ao Pai. Após estar com a multidão retirava-se para descansar e orar. Os textos nos revelam que numa dessas experiências ele confrontou-se e fez a experiência do deserto. Esses relatos se encontram apenas em Mateus e Marcos que os inserem na preparação do ministério de Jesus (Mt 4,1-11; Mc 1,12-13). Após ser batizado, Jesus retirou-se, foi para o deserto, lá entrou em contato com suas experiências humanas obscuras e foi provado em todos os seus desejos e em todas as suas forças. O diabo, no texto, pode ser compreendido como todas as forças, as divisões interiores da humanidade de Jesus que queriam curvá-lo às idolatrias deste mundo e desviá-lo da sua própria humanidade e do projeto de justiça do Pai e do Reino. Ele experimentou as feras interiores e não se deixou escravizar por elas, não as idolatrou. O seu projeto de justiça, de amor, de misericórdia, de compaixão e a sua intimidade com o Pai permitiram-no enfrentar a periculosidade do deserto, com suas tentações, carências, fomes, desejos descontrolados, morte, e experimentar Deus, fazer aliança com Ele, e redefinir os projetos pessoais.

2. Experiências profundas decorrentes do retiro

Sempre que realizamos um retiro não o fazemos por acaso. Há uma série de objetivos, que visamos obter, desde o descanso corporal e mental até a revisão da vida pessoal, de oração e um tempo de maior intimidade pessoal com Deus. O itinerário de um retiro nos permite rever e refletir sobre alguns temas muito importantes à vida cristã: sobre o sentido da vida, experimentar o amor de Deus, o discipulado, e a busca pela santidade de Deus que há em nós. Portanto, são realidades decorrentes dessa parada que damos para auferir as forças necessárias para continuarmos a enfrentar a dureza da vida.

2.1. Refletir sobre o sentido da vida

O processo de transformação pelo qual a sociedade atual passa faz com que a categoria de tempo sofra modificações no modo de compreendê-lo e de utilizá-lo. O tempo passa a ser matematizado e a ser uma mercadoria de grande valor e aos poucos vamos nos transformando em escravos do tempo ou corredores contra ele. O relógio e a agenda tornam-se os grandes organizadores da vida contemporânea. O homem pós-moderno deve honrar todos os seus compromissos e, ao final, toma consciência de que está em dívida consigo mesmo: não tem tempo para si e para os seus. "Não tenho tempo"! É o bordão moderno. Humanamente esse tempo é importante, pois não somos máquinas. Temos, portanto, direito ao repouso, a um tempo suficiente para nos recuperarmos de tantos desgastes e repensar o próprio sentido da vida. Muitos cristãos veem nesse tempo livre uma oportunidade para cultivar a vida espiritual e aproveitam esse tempo para contribuírem com as obras de caridade e se retirarem. Buscam, além do descanso físico, repousarem em Deus, alimentarem a vida espiritual, nutrirem a fé cristã e aprofundarem o sentido da vida.

De acordo com as Escrituras o ser humano é criado à imagem e à semelhança de Deus (Gn 1–2; Sl 8). Assumir essa premissa significa dizer que somos dotados de uma chama divina, de modo que a nossa vida tem um caráter sagrado, criativo, pois provém daquele que é o Santo e o autor de tudo e nos concedeu gratuitamente como dom. Logo alguém pode perguntar: como a pessoa que não acredita em Deus pode perceber a vida como sagrada ou como dom? Quem não acredita em uma realidade transcendental deve tomar o existir como realidade ética, embasada nos valores da liberdade, da justiça e o viver como possibilidade de transformação do cotidiano e das relações, embasadas pelo princípio da alteridade. Embora muitas pessoas se declarem sem religião, tantas são comprometidas com a vida e buscam transformá-la e reparti-la aos demais como dádiva. Outras vivem e pregam um materialismo transformando-o numa religião e não se comprometem com absolutamente nada, a não ser com os próprios interesses; do mesmo modo, existe quem se professa cristão e é completamente alienado em relação às exigências da própria fé e se torna um grande contratestemunho para a sociedade.

O ato de viver coloca o ser humano frente ao mundo que o interroga a dar a sua resposta ético-espiritual para descobrir novos horizontes que despontam no mistério que a cada instante desvela-se. Entretanto, nem todos conseguem enxergar desse modo. É comum ouvirmos a expressão: "a vida para mim perdeu o sentido". Dentre tantos fatores, o atual modelo de sociedade capitalista tem sido um causador desta realidade. Tudo é descartável, os objetos são descartáveis, as pessoas também o são, valem enquanto produzem... As pessoas já não têm mais tempo para si e para digerirem suas próprias dificuldades, não se encontram mais face a face e não gastam o seu precioso tempo com o outro. Há muito medo, especialmente por causa da violência, e cria-se cada vez mais uma cultura da desconfiança. Estruturas importantes são postas em crise: a família cada vez mais desunida, a escola que não tem força para educar, a política, como espaço para a realização do bem comum, está emersa em corrupção e interesses pessoais, a religião e a espiritualidade são compreendidas como coisas supérfluas.

A era atual, considerada da comunicação e da simultaneidade, possibilita que um acontecimento do outro lado do mundo, em instantes, torne-se conhecido e visto; pode-se falar e ver as pessoas sem sair do quarto ou do escritório; as relações se virtualizam, porém, isso não é capaz de substituir o olhar, a face de quem está à frente que, muitas vezes, clama por atenção. O filósofo Lévinas nos recorda que "a nudez do rosto é indigência. Reconhecer significa reconhecer uma fome. Reconhecer Outros significa doar".[1]

Observa-se a banalização da vida através de tantas ações violentas. Por qualquer coisa se mata, fere, violenta. Parece existir momentos em que a barbárie toma conta de nossa sociedade. Mata-se em nome do dinheiro, da cultura, da pátria, da democracia, da liberdade, do controle de natalidade, da religião e de Deus! Há uma estrutura social patológica criada por nós mesmos que não é geradora de vida. Frente a tantos desafios, as pessoas encontram-se espremidas, aprisionadas e deprimidas, sem respostas para seus problemas, e pensam que a estrada chegou ao fim e afirmam para si mesmas que viver não tem mais sentido.

Em um contexto de tantas ebulições, é importante perguntarmos: qual o significado da vida? O que fizemos de nossa vida até agora? O que ela representa para nós e para as pessoas com as quais nos relacionamos em nosso dia a dia? Já chegamos a pensar que a vida em algum momento perdeu o sentido? Qual o sentido que damos a ela? Quais são os valores e dons que possuímos? É importante resgatar o lado saudável dessas perguntas, no sentido de tomar a vida nas mãos, revermos nossos planos e buscarmos estratégias salutares para vivê-la com intensidade. É importante identificar o que nos motiva a viver. Há pessoas que, mesmo diante das fatalidades conseguem administrá-

---

[1] LÉVINAS, Emmanuel. *Totalità e Infinito: saggio sull'esteriorità*. 2. ed. Milano: Jaca Book, 1994, p. 73.

-las, encontrando um ponto de apoio, de modo que conseguem, mesmo em momentos de trevas, descortinar horizontes de luz.

É preciso resgatar o sentido de viver e alguns elementos são importantes neste processo: perceber-se como importante no mundo e dizer para si mesmo(a): sou portador(a) de dignidade; valorizar-se; dar sentido a própria existência; resgatar as qualidades pessoais; experimentar a vida positivamente; não se desesperar frente aos problemas e nem se fechar neles, não isolar-se; buscar novos relacionamentos e boas amizades; perceber que apesar das contradições, da situação de violência a vida é muito maior do que a morte; cuidar da vida em todos os sentidos – *físico* (alimentação, lazer, médico), *espiritual* (oração, participação na comunidade, na vida da Igreja); *buscar ajuda especializada de profissionais* (psicólogo, psiquiatra, acompanhante espiritual, assistência social, etc.); deixar de ser muitas vezes vítima, mas assumir a própria história; descobrir a vida como um grande presente de Deus e que deve ser repartida aos outros; fazer atividades físicas; perceber a natureza como elemento embelezador da vida; ousar frente à vida, buscar cada dia melhorá-la e ser melhor; evitar certos tipos de literatura de autoajuda que, na maioria das vezes, são mera enganação; passar por uma conversão interior; contemplar-se como criatura feita à imagem e semelhança de Deus; reler a história pessoal e resgatar dela os momentos de graça, de alegria e fazer a oferta a Deus daqueles momentos de dificuldade, mas que também serviram de ensinamento para a vida; perceber a vida como um processo da atuação de Deus desde a concepção até o seu extinguir. Essas dicas são para ajudar nesta descoberta. Todavia, depende da abertura da própria pessoa para se lançar nessa busca e querer passar pelos processos que as novas descobertas desencadeiam.

Uma das dificuldades de quem afirma não ter mais sentido viver ou encontra-se em um grau elevado de depressão é reencantar-se com a vida. Cabe à pessoa e aquelas que lhe são próximas buscar todas as ajudas para recomeçar. Trata-se de começar a compor um cântico novo, uma nova sinfonia para a vida e orquestrá-la de modo saudável para superar cada dia os desafios que o existir impõe a cada ser humano, compondo este grande conjunto com notas relacionais, levando em consideração o diálogo, a abertura pessoal e a sintonia relacional natureza, ser humano, Deus e mundo. A partir do que foi assinalado, pode-se inserir a espiritualidade como força curativa, entretanto, não dispensa todos os recursos terapêuticos. Por isso, deve ser um elemento a mais para contribuir para a busca do sentido de viver.

Quando volvemos as páginas dos Evangelhos, encontramos vários exemplos de personagens que se encontravam em situações insuperáveis que a própria vida, a sociedade, a política e a religião lhes impunham, mas o encontro que tiveram com Jesus lhes foram providencial e elas deram novo sentido e rumo para suas vidas (cf. Lc 8,40-56; 9,37-43; 13,10-17; 14,1-6; 17,11-19; Mc 8,28-34; 10, 46-52). A atitude delas frente a Jesus era de *abertura, humildade* e de muita *fé*. E a cura nasce da força interior que se encontra com aquela exterior, a força de Jesus, que é compaixão, amor e faz restabelecer a dignidade, permitindo que o sol voltasse a brilhar para quem se encontrava na escuridão. Em todas as curas efetuadas por Jesus a pessoa volta a agir normalmente, ganha nova visão, novo caminho, novo jeito de ser e retorna à vida cotidiana, com a família, trabalho e relacionamentos. É uma libertação que rompe com as cadeias de condicionamentos e dá a cada pessoa um novo sentido à vida. Assim, é importante na caminhada do dia a dia querer e ter o encontro com Jesus, pois se trata de uma fonte de sentido. Jesus sempre falou e lutou em favor da vida. E o cristão que tem uma vida ativa e se deixa tocar pelos ensinamentos e gestos daquele que é Vida em Plenitude, encontrará novos horizontes para superar os fossos, a tristeza, o desejo de morte e a depressão.

Nesse sentido o tempo de retiro é propício para refletir sobre o sentido da vida nas suas diferentes interfaces e problemáticas e voltar-se com mais intensidade sobre o autoconhecimento, embasado na meditação diária da Escritura e na oração pessoal que tonificarão a vida comunitária, o relacionamento fraterno para superar aquela vida frágil, sob as cinzas quase a se apagarem. O retiro espiritual reforça que viver é maravilhoso e tem sentido para todos.

2.2. Experimentar o amor de Deus

O retiro é um rompimento com a nossa rotina que nos permite tomar maior consciência do amor de Deus em nossa existência. É no conjunto da vida que acontece uma das mais belas experiências existenciais: amar e ser amado. Tal realidade não é definível em palavras. Tenta-se compreender através da música, da poesia, dos romances e pelas ciências filósoficas, antropológicas e psicológicas. O que é o amor, de fato, somente quem o experimenta e o vive tem a ousadia de dizer uma palavra, na incerteza e na humildade de não poder expressar o que realmente é. Atualmente, *amar* e *amor* são usados aos quatro ventos de forma vazia e estéril, confundidos com um erotismo banalizado que desconsidera exatamente o real sentido do amar e do amor. Nesse sentido, quem experimenta na vida amar e ser amado, compreende realmente o que significa o amor de Deus e o provar desse amor, mesmo em situações adversas da vida.

As Escrituras apresentam muitas características do amor: movimento, conhecimento, fidelidade, aliança, ciúme, infidelidade, dimensão erótica e agápica (Cânticos, por exemplo). Os escritores bíblicos trazem os melhores encontros entre Deus e o ser humano. O amor de Deus não comporta a infidelidade e mesmo quando ocorre tal infidelidade ele busca todas as alternativas para trazer o ser humano para perto de si. Um exemplo é o belíssimo texto do profeta Oseias (Os 1–3).

Uma das mais belas definições bíblicas sobre Deus é: "Deus é amor". E continua o texto: "e quem permanece no amor permanece em Deus e Deus nele" (1Jo 4,16). Nessas páginas que buscam transcrever a bela e profunda relação de amor de Deus com a humanidade essa verdade pode ser verificada, de modo que a Escritura pode ser comparada a um grande romance que conta a história do amor de Deus para com a humanidade e, em um determinado momento, esse amor se materializa em forma humana em Jesus Cristo. A afirmação de que Deus é amor coloca-o num dimensão próxima do humano e exclui a visão de um Deus distante, onipotente, que não se envolve com o ser humano. Quem ama entrega o melhor de si. E somente quem ama é capaz de sofrer por amor. Outra expressão de amor de Deus, por meio do seu Filho Jesus, é a entrega na Cruz e o memorial da Última Ceia, celebrada em cada Eucaristia.

A Eucaristia é ágape, isto é, o máximo de amor, que não exclui nehuma outra característica do amor. É expressão de um amor sem medida que reúne e que carrega em si a memória histórica dos antepassados da nossa fé que experimentaram o Deus-amor e traduziram de geração em geração, recontando esta experiência pascal até chegar a Páscoa de Jesus. Quem ama reconta/relembra sempre a grandeza do amor divino. Assim, podemos afirmar que a fé cristã é uma experiência nascida de um Grande Amor.

Para a espiritualidade cristã, qual é a importância do amor? Não é ele a síntese feita por Jesus? (Jo 15,10-17). Para a vida cristã, é o núcleo, o fundamento em relação à comunidade de fé e das relações cotidianas. É a vida de comunhão intensa e amorosa com Deus. No entanto, essa relação deve-se ampliar ao máximo, envolvendo outras pessoas para que possam experimentar o amor divino em suas vidas, em família, na comunidade e no trabalho.

A Epístola de S. João adverte que quem afirma amar a Deus que não vê, e não ama o seu irmão que é visível e tem contradições é mentiroso (1Jo 4,20). A exigência do amor cotidiano é bem diferente daquele cantado nos poemas e nas canções, porque é resultante de suor e sangue, das exigências do cotidiano, traduzido nas diferentes ações concretas: combate às injustiças e à corrupção, para que outros tenham condições mais dignas de vida, luta pelos direitos humanos, conscientização das pessoas em favor do meio ambiente, enfim, são expressões do amor, que muitas vezes têm consequências para quem faz esta opção. A espiritualidade cristã apresenta vários caminhos para experimentar o amor de Deus e partilhá-lo concretamente com outros.

Às vezes, perdemo-nos no meio de tantos acontecimentos e nos esquecemos de refletir com maior profundidade sobre a vida pessoal, como melhorá-la em diversos aspectos. Sob o ponto de vista espiritual, as conversões cotidianas e as formas que usamos para manter o contato com Deus e sentir profundamente a sua ação e o seu amor em nossa vida e também indagar-nos como amamos as pessoas.

Às vezes nossa vida espiritual cai no anonimato para nós mesmos. É importante sempre revisá-la, especialmente para perceber essa dimensão amorosa de Deus que nela atua. O retiro espiritual é tempo propício para isso. Do ponto de vista prático é importante à *teografia*. Esta palavra, composta de duas palavras gregas: *Theos* (Deus) e *graphos* (grafia, escrita), é uma descrição ou o registro escrito da experiência do amor de Deus na história pessoal. E como fazê-la? Algumas dicas ajudam a elaborar esse processo.

a) O primeiro passo é adquirir um caderno, no qual se possa escrever/descrever o que captou dessa relação íntima e amorosa com Deus. Deus é amor e nos ama. Portanto, esse diário, ou caderno, é para você um espaço sagrado, onde serão relembrados ou recordados (recordar = deixar passar pelo coração) os eventos salvíficos presentes na sua história pessoal.
b) Fazer uma profunda revisão de vida por períodos. Uma boa inspiração vem do Salmo 138/139: "Senhor, tu me sondas e me conheces..." Uma sugestão é dividir a história de vida em períodos de 10 anos, desde o nascimento. Relembrar em cada período os fatos importantes que aconteceram nesse intervalo. Como percebi Deus em minha caminhada? Quais foram/são os seus rastros em minha história?
c) Destacar os eventos importantes da vida, sejam eles alegres ou tristes, e aqueles que transformaram a sua vida, a sua história.
d) Recordar a história da Salvação mencionada na Sagrada Escritura: Criação, Queda, Aliança, Deserto, Páscoa, Encarnação, Cruz, Redenção e Ressurreição. Verá esses eventos da História da Salvação presentes na própria vida.
e) Perguntar: em quais momentos me senti abandona-do(a)? Como Deus atuou na minha história, salvando-me? Como Ele continua agindo na minha história? Como percebo os seus passos na minha história?
f) Entregar a sua história pessoal, em forma de oração, desde o seu nascimento até os dias de hoje, pedindo que Deus faça da vida um mosaico que reflete a beleza do amor divino e humano.
g) Se tem um acompanhante espiritual ou um amigo(a) com quem possa compartilhar a beleza do que experimentou, é importante fazê-lo, pois trata-se de realidades profundas que podem iluminar outras pessoas e de enriquecimento espiritual mútuo.

Realizar a teografia no momento do retiro é importante porque esse itinerário possibilita captar com maior intensidade as nuances da própria história e as percepções da ação divina nela. É uma peregrinação silenciosa que vai levando quem a faz ao mais profundo da própria alma, aonde se chega à contemplação do amor divino e da própria vida. É uma visita ao seu castelo interior... O seu retiro pessoal pode ser um *kairós* para essas descobertas.

2.3. Recordar e buscar a santidade de Deus em nós

O retiro é uma etapa propícia para refletir sobre o nosso processo de santidade pessoal. Para darmos mais um passo em nosso itinerário espiritual, é preciso compreender o que é santidade. Aqui não se explorará o seu aspecto canônico, isto é, o processo elaborado para que alguém seja elevado aos altares, e sim aquele cotidiano e da vivência cristãs. Vamos compreendê-la como um chamado para todos os seres humanos.

O dicionário Houaiss nos dá a seguinte definição sobre o que é santidade: "qualidade ou virtude de santo; estado de santificação; virtude, pureza, religiosidade". E quem é o santo? O mesmo dicionário traz várias definições, mas há quatro que nos interessam: "essencialmente puro, soberanamente perfeito; que ou aquele que foi canonizado e/ou a quem os fiéis rendem culto; quem ou aquele que vive conforme a Lei de Deus e a moral religiosa; quem ou aquele que é dotado de santidade, que é puro, isento de culpas". Estes conceitos já os conhecemos, porque aprendemos na catequese, nas homilias ou em algum escrito, mas ser santo vai além disso. Embora o conceito pareça ser muito ideal, um caminho difícil de galgar, entretanto, para o cristão deve ser um imperativo para a sua vida cotidiana, é uma resposta ao batismo.

O verbete "santo" aparece 339 na Escritura em diversos sentidos. Para os hebreus somente Deus era Santo. Em Lv 11,45 encontramos "eu sou Javé, que vos tirei da terra do Egito, para ser vosso Deus. Sede santos, porque eu sou santo". E para se tornar santo era necessário submeter-se aos códigos de pureza daquele tempo. A santidade era para poucos. Escrituristicamente, esse tema é bastante amplo e para cada época, na qual os textos foram compostos, há seus enfoques e concepções. O termo usado, *kadosh*, é traduzido como santo, mas também significa corte, separação especialmente das coisas impuras; sagrado; santidade, consagração, qualidade do que é sagrado, santo, o Santo por excelência. Só Deus é Santo (Is 6,3; Lc 1,49; Jo 17,11; Ap 4,8; 6,10).

Nas páginas do Novo Testamento Jesus é reconhecido como o santo (Lc 1,35; 4,34), o Santo de Deus (Mc 1,24; Jo 6,69), e é modelo para todos os seus seguidores. Ele rompe com vários códigos legais, fazendo com que a santidade não fique restrita às leis de pureza, mas seja um projeto de aceitação, adesão e vivência da proposta do Reino de Deus presente na história. E todo aquele que o segue de modo radical tem a sua vida transformada de maneira profunda e santa.

O Apocalipse denomina: "Santo, Santo, Santo", isto é, aquele que é completamente santo. A partir da santidade de Deus, o Povo de Israel é convidado a ser santo: "sede santos, porque eu Javé vosso Deus, sou santo" (Lv 19,2). E a Deus deve consagrar-se somente aquilo que é bom (Dt 17,1-2).

A carta de São Paulo aos Romanos apresenta-nos pistas para trilhar o caminho de santidade: vivenciar o amor fraterno, ser zeloso e diligente, fervoroso de espírito, ser serviçal ao Senhor, alegre na esperança, forte na tribulação, perseverante na oração; socorrer os necessitados, ser hospitaleiro, abençoar os perseguidores, alegrar-se com os que se alegram, chorar com os que choram, relacionar-se com os outros e não se deixar levar pelo espírito de grandeza e a humildade (Rm 12,10-16b).

Desde os tempos primitivos, a Igreja foi acumulando experiências de testemunho de vida espiritual, de humanidade, de fé e de sabedoria. A comunidade deixou-se iluminar pelo Espírito Santo Deus. No seio da vivência comunitária, algumas pessoas tornaram-se modelos, referenciais para outras no seguimento de Jesus Cristo. Suscitaram o desejo de seguimento do Redentor e de se conformar a cada dia a vida à humanidade e à santidade Dele. Aprendem que ao longo da vida é possível tornar-se livre da escravidão do mundo, sem desprezá-lo, assumindo cada vez mais o projeto do Pai, assim como fez Jesus, na vivência profunda da fé-esperança-caridade.

A santidade nasce a partir da experiência de vida e de virtude de homens e mulheres, como nós, com seus erros e acertos, e que conseguiram superar situações de pecado, contradições, egoísmos e foram capazes de criar ao seu redor um ambiente de bem-aventuranças e ser considerados exemplos a serem seguidos, venerados, não adorados! O santo é aquela pessoa que capta Deus em sua vida e faz Dele a sua própria história e da sua própria vida, a história de Deus, dentro da própria humanidade com pecado e graça, com questionamentos, com crises, incertezas, respondendo ao convite de um Deus provocador, sedutor, apaixonado que sempre atrai para si. Assim, a santidade é algo que acontece na vida, situada na história e, muitas vezes, de modo simples. O grande milagre de um santo não é tanto fazer coisas extraordinárias, e sim transformar sua vida e a dos outros no cotidiano de Deus. Muitas vezes se tem uma concepção um tanto quanto redutiva do santo como alguém que viveu distante da realidade. Ao contrário, foi uma pessoa com coração, mente e pensamento voltados para o mundo o qual viveu.

Muitas pessoas creem que os santos são modelos ultrapassados, pois foram pessoas que viveram num determinado tempo histórico. Outras veem os seus feitos, especialmente a vida mística e a ascética rigorosa, como loucura. Há aqueles que querem aplicar nos mesmos moldes para os dias atuais o que os santos viveram. Aqui é preciso ter discernimento. Não podemos deslocar determinado santo(a) da sua realidade histórica, ele respondeu aos problemas ou viveu a espiritualidade própria do seu tempo e deve ser compreendido naquele contexto. Aí pode surgir outra pergunta: para que declarar alguém santo ou para que serve o ensinamento desta pessoa? Vale lembrar que até hoje a Igreja recorda o ensinamento de Agostinho, Tomás, João da Cruz, Teresa d'Ávila e muitos outros... O ensinamento de tantos santos e místicos atravessou a história e ainda hoje é importante para o aprofundamento da fé.

A santidade nos recorda sempre a fidelidade ao Deus da vida que permeia toda a história e vai além do tempo e da história. É vida na vida de Deus que se transforma em vida doada para os mais frágeis. Assim, não é algo descartável ou modismo, conforme nos propõe a sociedade hodierna. Os santos ainda são modelos a serem seguidos, pois foram pessoas, que, na sua humanidade, lançaram-se no abismo da fé e se abandonaram nos braços de Deus. Se afirmamos que somos a imagem e semelhança de Deus, somos potencializados a sermos santos, com Ele, Nele e para Ele no mundo. Então, santidade não é invenção de teólogos ou místicos, está na índole do próprio ser humano e é possível a todas as pessoas e faz parte da aventura humana aqui nesta terra.

Ser santo significa ser profundamente humano. Desse modo, o primeiro pressuposto para ser santo é viver intensamente a própria humanidade com as suas contradições que lhe são próprias, buscando a cada dia superá-las, nascendo de novo cada dia, isto é, convertendo-se. Isso se diferencia daquela visão de perfeccionismo que massacrava a dimensão corporal da pessoa. Cada pessoa é convidada a ser santa a partir da sua corporeidade e do seu próprio ser. A humanidade do santo vai configurando o seu ser ao ser de Deus, entregando-se a Ele. É alguém que tem coração bom, que ama muito, é capaz de consumir sua vida a outrem. Está em contato com a realidade, não é alguém que despreza o mundo, mas despreza as injustiças e as contradições deste mundo. Busca superar as dimensões de pecado, aquilo que desvia do seu alvo, Deus mesmo. Está sempre em confronto com as suas estruturas perversas, lutando contra elas. Um exemplo eram os Padres do Deserto que chamavam essas forças de demônios. Podemos afirmar que o santo é alguém inquieto e vive em constante êxodo, põe-se a caminhar todos os dias à procura de Deus.

Até antes do Concílio Vaticano II, a santidade era coisa reservada ao papa, aos bispos, aos monges, aos religiosos e aos sacerdotes. Era um estado de perfeição, para poucos. Hoje, a Igreja nos relembra que é universal. Isto quer dizer que os leigos(as) devem e podem buscar esse caminho e propô-lo a outros. Começa-se pela vida cristã, que acontece na família, no compromisso com a comunidade e no desejo de transformar as realidades de morte em vida. A nossa sociedade está carente de bondade e necessita de sangue novo que proponha mudanças qualitativas nas relações individuais e comunitárias, no agir ético e no pensar o bem comum.

Para recordar esse chamado a todos os fiéis, a Igreja, ao longo do ano litúrgico, recorda a vida daqueles(as) que nos precederam na vivência da fé em Jesus Cristo. Depois celebra-se a Festa de Todos os Santos. Esses são aqueles(as) que são elevados(as) aos altares. Mas há aqueles homens e mulheres espalhados pelo mundo que não foram reconhecidos pela Igreja e são santos(as). São pessoas que testemunham sua fé no Cristo morto e ressuscitado, nos mais diferentes modos. Quantos mártires são trabalhadores, operários, donas de casa, sacerdotes, religiosos, religiosas, jovens e crianças? O mundo vive com a força do testemunho deles. Eles têm sua vida centrada em Jesus Cristo e aqueles santos reconhecidos pela Igreja lhes servem de modelos.

Isso quer dizer que cada pessoa é convidada a ser santa. Isso já é evidenciado pela Sagrada Escritura (1Pd 1,15s). Também a Igreja com todo o seu ensinamento convoca e abre caminhos para a vivência da santidade e a reconhece em seus fiéis. Portanto, a santidade deve ser vivenciada no aqui-agora da história, e é um caminho que não se faz isoladamente, mas com o outro e com a comunidade. O santo vive no mundo, faz o seu itinerário e sofre, como os demais, as mudanças da própria história. Essas transformações podem portar consigo contradições que interpelam uma pessoa a confrontar, denunciar, a profetizar e, às vezes, dar a própria vida, para que outros a tenham (Jo 10,10).

Algo novo precisa brotar na história de hoje. Não por falta de pessoas que deram a sua vida, mas por causa da cegueira do próprio mundo, do egoísmo de homens e mulheres que não conseguem olhar para frente e construir uma cultura que valorize o próprio ser humano, que se encontra decadente, com medo, escravizado e fragmentado. O que se vive é fruto da própria ação humana. Se algo vai mal, é porque cada pessoa tem a sua parte de responsabilidade social perante o mundo que vive. Se alguém, hoje, tem uma vida pautada pelos valores evangélicos, muitas vezes é considerado "santo", alienado, fora da realidade. Este é o preço que se paga pelo seguimento de Jesus.

A vida de muitos daqueles que nos precederam na fé, no amor e na esperança tem muito a dizer atualmente. Produziram ao longo da história pessoal muita vida e ainda continuam a produzir. É vida que fecunda vida, que é contra as situações de sofrimento, de injustiça e de morte, presentes na história, causadas por quem só vive para si, às custas de outras vidas. Cada pessoa no seu cotidiano é chamada a fazer o seu percurso de santidade. Ser santo é viver a própria humanidade de modo intenso e ter um coração aberto ao outro. Não é projeto que se constrói somente para si. Requer cada dia lançar-se cada vez mais nos braços do Pai celeste, pedindo-lhe sempre um coração novo, sofrer uma metanoia e uma conversão interior. Para isso, alguns instrumentos são necessários, a exemplo dos nossos antecessores na fé, a Palavra de Deus, a Eucaristia, o dom de amor a todos e uma vida voltada à comunidade cristã e, especialmente aos mais necessitados; e vida de oração, íntima e diária comunhão com Deus. Ser santo é um projeto possível a todos, porque desde quando fomos concebidos, Deus já nos fez à sua imagem e semelhança. Se Deus é Santo, também à sua semelhança, podemos ser santos e, com a força divina, ser uma esperança para o mundo de hoje.

2.4. O discipulado: colocar-se a caminho com o Mestre

O retiro espiritual é uma oportunidade para refletir sobre o nosso seguimento de Jesus. Em outros termos, nosso discipulado. Esse tema é importante para a Espiritualidade e a vida espiritual, embora não seja tão fácil compreendê-lo e pô-lo em prática, pois requer renúncia de vontades pessoais e confiança do discípulo no seu mestre e vice e versa.

No mundo grego era prática comum. Os filósofos tinham suas escolas e formavam seus discípulos. Sócrates ensinava seus aprendizes pelo método da interrogação, a maiêutica, uma técnica de dar à luz ideias novas, e os filósofos peripatéticos ensinavam seus discípulos caminhando.

No judaísmo o conceito de discípulo surge na época do Segundo Templo (515 a.C. a 70 d.C.) e é observado apenas uma vez, em 1Cr 25,8. É nos escritos do Novo Testamento que o termo é evidenciado, especialmente a partir de Jesus. No entanto, a partir das Escrituras, buscaremos ampliá-lo.

A palavra discípulo, no seu conjunto, traz uma gama de significados e uma extensa explicação etimológica, mas que é preciso compreender, pois está na raiz do discipulado. O hebraico traz duas palavras correlatas: *lamad* – aprender e ensinar, ser instruído, versado e entendido; e o substantivo *limmûd* – discípulo, aluno, erudito, alguém que pode ser ensinado, instruído e treinado. Outro verbete é *talmid* – estudante, discípulo subordinado a um rabino. Em Israel os *talmidim* eram considerados aprendizes da Torá. Daí deriva-se a palavra Talmude. No Novo Testamento aparece 250 vezes a palavra *mathetes*, relacionada a aprendiz, aluno ou discípulo aprendiz. Uma pessoa era chamada *mathetes* quando vinculada a uma outra, um professor/mestre possuidor de conhecimentos práticos e teóricos ou a um conjunto de ensinamento doutrinário.

Outro termo é *mimeonai*, imitar, imitador. O discípulo era um imitador das ações do mestre e não tinha autonomia, ou seja, assumia as características de quem o ensinava. E por fim, *opisô*, ir atrás, depois, detrás, vir depois. O discípulo era aquele que andava atrás do mestre. Ir atrás era participar da comunhão e da vida daquele que era sábio, bem como estabelecer vínculo total da personalidade em relação àquele ensinamento. O discípulo seguia um profeta, um mestre ou um sábio e era ensinado por ele e aderia a esse ensinamento (Is 8,16; Mt 10,24; Mc 2,18). Os doze são denominados de discípulos (Mt 10,1) e possuem encargos de fazer discípulos todos os povos. Em At 21,16 toda pessoa que adere a Jesus é chamada discípula, inclusive as mulheres.

Esclarecido o termo, algumas experiências de discipulado destacam-se nas Escrituras, mesmo não tocando diretamente no termo, mas em seu conjunto. O Êxodo do povo de Israel foi um caminho discipular. Enquanto não escutou a palavra de Deus, por meio de Moisés, e não se colocou a caminho, não se tornou livre. O êxodo ensina que discipulado só é verdadeiro quando é libertador.

Deus foi o grande mestre de Israel e todos aqueles que ouviram e colocaram em prática Sua palavra foram seus discípulos. Dentre os textos que mencionam a experiência da libertação há dois blocos que comprovam a pedagogia de Deus, como ensinamento, para que aquele povo pudesse viver em plenitude. São o Decálogo e a sua explicitação (Êx 20–24; Dt 5–6). Esse último, o Deuteronômio, apresenta um dos credos do antigo Israel: "amanhã, quando o teu filho te perguntar: 'que são estes testemunhos e estatutos e normas que Javé nosso Deus vos ordenou?', dirás ao teu filho: 'Nós éramos escravos do Faraó no Egito, mas Javé nos fez sair do Egito com mão forte. Aos nossos olhos Javé realizou sinais e prodígios grandes e terríveis contra o Egito...'" (Dt 6,20-23). Esse memorial põe todo o Israel como ouvinte atento da Palavra de Javé, recordando a salvação do povo.

Um dos grandes profetas de Israel e muito mencionado na Bíblia é Elias, responsável por consolidar o monoteísmo israelita (1Rs 17–22; 2Rs 2,1-18), combatendo o deus Baal e toda a sua corte. Certo dia encontra Eliseu, lança o manto sobre ele (1Rs 19,19-21), transmite-lhe a missão, o discipulado da Palavra e da fidelidade a Javé.

O profeta é um discípulo, porque tem que escutar profundamente a Palavra do Senhor. Em Isaías encontramos: "O Senhor Javé me deu uma língua de discípulo, para que eu saiba encorajar os desanimados. Cada manhã me desperta, desperta meu ouvido para que eu escute como discípulo" (Is 50,4). Constata-se que o profeta não é um discípulo passivo, mas é alguém que anuncia, denuncia e condena os erros e, ao mesmo tempo, tem os seus ouvintes, um povo, que pode aderir ou não a sua palavra. Os profetas foram discípulos da Palavra libertadora e fiel de Javé e exerceram seu discipulado questionando a infidelidade de Israel, sua cabeça dura, suas injustiças, as situações de antivida por causa da dominação, dos exílios e das mortes, e sempre mostrando o amor, a Aliança e a misericórdia de Deus.

O discipulado jesuânico tem características diferentes dos demais que já mencionamos, de João Batista e do rabinato de sua época. Jesus passa e chama pessoas das mais diferentes extirpes e classes. Se analisarmos atentamente os discípulos dele não possuem um perfil uniforme, segundo as regras daquele tempo. Jesus chama e o seu chamado tem consequências, "não olhar para trás" (Lc 9,62), isto é, aderir incondicional e radicalmente e não se preocupar com as coisas deste mundo, não levar bolsa, alforje, sandálias (Lc 10,4), mas ter cuidado apenas com o mal, com os filhos das trevas que são mais espertos do que os filhos da luz.

O discipulado de Jesus não comportou todas as pessoas. Certo homem que queria ser discípulo do Mestre não foi aceito e foi aconselhado a voltar para a casa e contar as maravilhas que Deus havia feito por ele (Lc 8,38s); o jovem rico não suportou as exigências do discipulado, a pobreza (Mc 10,17-22); outros abandonaram-no, voltaram atrás e não andaram mais com ele por discordarem do seu ensinamento (Jo 6,60-69).

Jesus nos seus encontros diversos faz discípulos e discípulas. Muitas pessoas que foram curadas por ele, saíram proclamando as maravilhas que experimentaram. De certo modo, tornaram-se seus discípulos, pois experimentaram a salvação (Mc 5,20; 7,37). Um ícone bíblico chama atenção, a daquela mulher, Maria, que senta aos pés de Jesus para ungir-lhes. Sentar-se aos pés é uma atitude discipular (Lc 8,35; 10,39; Jo 12,3). Ela se põe a ouvir obedientemente a palavra do Mestre.

Os Evangelhos sinóticos nos apresentam os diferentes chamados e modos do seguimento de Jesus. O evangelista João apresenta uma característica mais universal do discipulado. Para ele, todo aquele que reconheceu Jesus como mestre, segue os seus ensinamentos e se propõe a viver nos seus caminhos é discípulo(a). Nos Atos dos Apóstolos o nome discípulo ganha novo significado, uma vez que todas as pessoas batizadas que aderem ao ensinamento de Jesus, a sua doutrina, são chamadas de discípulos (At 6,1).

O discipulado cristão tem características muito bem definidas. Testemunha Jesus Cristo, sua vida, sua paixão, morte e ressurreição. É uma decorrência profunda da Páscoa. Jesus ressuscitado aparece à comunidade e diz: "Como o Pai me enviou, também eu vos envio'". Dizendo isso, soprou sobre eles e lhes disse: "'Recebei o Espírito Santo'" (Jo 20,21s). Os novos discípulos recebem o Espírito e são enviados ao mundo, em meio às contradições, para mostrar-lhe o que Deus fez pelos seres humanos, em Jesus. Desse modo, amplia-se o jeito de seguir Jesus.

A teologia, antes do Vaticano II, considerava que aderir a Jesus era imitá-lo (*mimeonai*), tentando ser uma cópia fiel do mestre. Atualmente, fala-se em seguimento, pois contempla as ações de Jesus, todo o seu ministério, sua entrega, sua obediência filial e leva em consideração a autonomia e a criatividade daqueles que O seguem (Mt 10, 2-4; Mc 3,13-19; Lc 6,12-16; Lc 10,1-20; Mt 19,16-22).

Um dos elementos importantes para aderir e percorrer o caminho do discipulado é a fé. Não convivemos com Jesus, mas recebemos de nossos antepassados esta riqueza, portanto, somos portadores do *kerigma*, a mensagem viva Dele neste mundo. Pelo nosso batismo testemunhamos que ele está vivo, por meio de sua palavra, nessa realidade com todas as contradições históricas.

A dinâmica do retiro espiritual por facilitar o silêncio, a oração, o confronto consigo mesmo e o diálogo com Deus permite-nos aprofundar como entendemos e vivenciamos o discipulado. Nós aprendemos do Mestre e ensinamos? Somos discípulos que possuem autonomia e criatividade, sem desviar do seguimento de Jesus? Discípulo bom e fiel é aquele que não tem medo de contrapor à palavra escravizadora, sem vida, sem testemunho que não põe as pessoas a caminho. O discípulo é itinerante e tem coragem de continuar o ensinamento do Mestre, pois o experimentou com intensidade, na comunhão de vida com o Senhor.

2.5. Ser "téofilo", amigo de Deus

Lucas, no seu evangelho e nos Atos, faz uma referência a um tal de Teófilo. Afirma: "Assim, excelentíssimo Teófilo, depois de me haver informado cuidadosamente de tudo desde o princípio, resolvi escrever para ti uma exposição ordenada dos fatos, para conheceres melhor a solidez da doutrina que recebeste" (Lc 1,3-4). Depois em Atos dos Apóstolos encontramos: "Em meu primeiro livro, ó Teófilo, falei de tudo o que Jesus fez e ensinou desde o começo até o dia em que foi elevado ao céu, depois de ter dado suas instruções aos apóstolos que havia escolhido sob a ação do Espírito Santo" (At 1,1-2). Por que esse texto para refletir sobre a experiência do retiro espiritual?

Para além das especulações teóricas sobre o personagem, aqui interessa-nos o significado de seu nome – amigo de Deus. Portanto, o retiro é o momento propício para intensificar sempre a nossa relação e amizade com Deus e descoberta de si mesmo. A história que segue ajuda a pensar um pouco sobre o significado de ser "amigo de Deus".

Um homem queria muito experimentar Deus. Dentro de si, uma grande angústia e muitas noites escuras e tempestuosas. Dentro de si uma dor profunda, muitos questionamentos, dúvidas e falta de fé. Não se achava digno nem de existir. Olhava a sua vida e não a sentia com profundidade. Certo dia, saiu a caminhar por uma longa estrada. Caminhou tanto e chegou à beira de um rio transbordante. Sob as águas, enormes troncos boiavam. Ao ver aquela cena, sentiu que era como aquele tronco que boiava na superfície da vida, porque nunca tinha feito uma experiência profunda de si mesmo, jamais tinha conhecido as suas águas mais profundas, turvas, lamacentas nem a sua limpidez e o frescor que as possuía. Era alguém estático, imóvel perante si mesmo.

Ao caminhar pela margem do rio encontrou uma cabana e um ancião sentado meditando. O senhor o fitou profunda e serenamente e perguntou: "O que procura?" O rapaz respondeu: "Nada! Apenas estou desnorteado e busco o caminho de minha própria casa". O ancião, em silêncio, sorriu e disse-lhe: "Nada?! O nada que procura está dentro de você!" O jovem assustou-se e não compreendeu. Respondeu: "Mas eu disse que não procuro nada!" O sábio disse: "Infeliz é o homem que não procura o nada de si, porque nunca encontrará o seu tudo e o caminho de volta a sua casa..." Perguntou o jovem: "Por que me interroga tanto assim? Não passa de um ancião no meio de uma mata! Como você se chama?" Respondeu o ancião: "Sophos. Aqui vivo desde quando apareci no mundo. Somente poucos conseguem me encontrar e você é privilegiado, todavia, antes deve perder a sua arrogância, a prepotência e o egoísmo. Deve-se tornar nada, terra, húmus, pó. Caso contrário, não conseguirá encontrar o caminho de volta e perder-se-á para sempre". "Quem é você, meu jovem?", perguntou-lhe Sophos. "Chamo Teófilo", disse. Sophos interrogou-lhe: "Por que não cumpre sua essência?" "E o que é a minha essência?", replicou Teófilo. Sophos disse-lhe: "Encontrar o seu Tudo... Por que não deixa que o seu Tudo o encontre?"

Teófilo estava irritado com Sophos que por várias vezes lhe perguntou: como você se chama? Qual a sua identidade? Por que não permite ser você mesmo? E por que insiste em fazer os caminhos que lhe ensinaram? Qual o seu caminho? Teófilo tentou fugir, e Sophos lhe confrontou: "Não fuja de si mesmo! Se o fizer matar-se-á a si mesmo! Enquanto você não lutar contra si mesmo e vencer suas divisões interiores, curar suas feridas e compreender o seu nada não encontrará o seu Tudo. Ele está tão perto e você não consegue captá-lo. Você sempre olhou para si e nunca ao seu redor, e esmagou a verdade sobre si mesmo. Olhe para dentro de si com transparência!"

Teófilo chorou e lhe respondeu: "Isto é impossível!" "Sophos disse-lhe: "Nasça de novo, conceba novas ideias, busque o que perdeu, vá a sua originalidade. Você não tem identidade, é apenas massa amorfa. Nasça de novo, contemple tudo ao seu redor, olhe as estrelas, a lua e permita que elas iluminem a suas trevas interiores até que o sol desperte em você. Procure pelo Absoluto que está ao seu redor. Por que se perde em si mesmo? Por que mente para si, precisa buscar a verdade de si, porque somente assim conseguirá nascer de novo e o sol brilhará. Agora, volte e encontre a sua casa..."

Teófilo sentia medo. O ancião o tomou pela mão e ordenou-lhe: "Vá e ao longo do caminho nasça de novo e encontre o que procura". Teófilo saiu a caminhar e a cada passo deixava passar pelo coração tudo de si. De repente perguntou-se: "Por que me chamo Teófilo? Por que aquele ancião me interpelava a nascer de novo? Agora sei, nascer de novo é descobrir a profundidade que carrego em mim, a minha identidade. Sou Teófilo, amigo de Deus. Ser amigo de Deus é encontrar o meu Tudo, é nascer de novo, vislumbrar o sol que brilha em mim, é ser nada para que o Tudo de Deus me preencha e me envolva".

Teófilo voltou ao casebre para encontrar Sofhos e agradecê-lo. Ao chegar lá encontrou uma inscrição. O Sophos está dentro de você, à medida que você vai se tornando Teófilo...

IV

A ORAÇÃO COMO ALIMENTO PARA O CAMINHO ESPIRITUAL

O Peregrino do texto ao escolher aquilo que era essencial para a sua viagem, escolheu as Escrituras e o pão e sempre nos encontros significativos o texto bíblico iluminava aquele momento importante. Para o Peregrino a Escritura tornou-se o seu pão cotidiano e a oração o seu alimento para sustentá-lo no seu itinerário existencial e espiritual. Assim, este capítulo é sobre a oração, buscando demonstrar a sua importância na vida espiritual e como é possível rezar de tantas maneiras, desmistificando, assim, o comodismo do "ah, não sei rezar" ou "não tenho tempo de rezar". Este texto nos ajuda a descobrir a riqueza da nossa própria oração e a despertar a nossa criatividade orante, encontrando novos modos de rezar.

1. A oração: chamar Deus de Tu na intimidade

Toda oração é relação e diálogo, portanto, por mais que queiramos afirmar que há oração individual esbarramos em um conceito, ao meu ver, incorreto. Posso fazer uma experiência pessoal, isto é, enquanto pessoa dirijo-me a um Outro Absoluto, havendo relação e diálogo. Da mesma forma acontece comunitariamente. Desse modo, não é possível monólogo na prática oracional, pois há sempre uma relação dialética entre aquele que ora e Deus que escuta, do Deus que fala e do ser humano que ouve.

Martin Buber afirma: "Deus é o totalmente Outro, ele porém o totalmente mesmo, o totalmente presente. Sem dúvida, ele é o 'mysterium tremendum' cuja aparição nos subjuga, mas ele é também o mistério da evidência que me é mais próximo do que o meu próprio Eu".[1] Desse modo, enquanto pessoa, dirijo-me a um Outro Absoluto, havendo relação e diálogo. Da mesma forma, acontece comunitariamente: a oração é um encontro ente Eu-Tu-Tu Absoluto. É a experiência do *tuteizar/tutear*. A experiência Eu-Tu é comunitária e se estende ao Tu Absoluto que é Deus. Quando acontece a relação oracional Eu-Tu Absoluto, temos a dimensão pessoal da oração. Nesse sentido, a oração se caracteriza por ser sempre relacional e por uma chamada profunda ao crente a adentrar nas profundezas de seu interior e descobrir o próprio tesouro espiritual que há dentro de si.

Anselm Grün afirma:

> A oração é, portanto, caminho que conduz à morada do tesouro interior, ao espaço em nós no qual Deus mesmo habita. Toda riqueza que podemos adquirir está dentro de nós. Através do silêncio e da oração nós devemos voltar-nos para nosso interior e penetrar nesse lugar no qual descobrimos, com Deus, toda a riqueza de nossa vida, o tesouro escondido no campo e a pérola preciosa, pelos quais vale a pena vender tudo o mais[2].

---

[1] BUBER, Martin. *Eu e Tu*. 2. ed. São Paulo: Cortez e Moraes, 1979, p. 170.
[2] GRÜN, Anselm. *A Oração como Encontro*. 2. ed. Petrópolis: Vozes, 2001, p. 73.

IV. A oração como alimento para o caminho espiritual

Na oração, temos que levar em conta o caráter da interioridade, ou seja, deve brotar da profundeza do nosso ser, pois é relação afetiva com Deus e com os irmãos. É claro que devemos nos precaver daquela oração que se caracteriza por ser de cunho unicamente subjetivo que busca somente as realidades espirituais e carrega um ranço de puritanismo. A verdadeira oração abrange a inteireza do ser humano, o corpo-alma-espírito, de modo que quando vamos rezar nos levamos totalmente. Somos passado-presente-futuro que acontece na história, somos afetividade, subjetividade, racionalidade, fé, esperança e amor.

2. Nossa forma íntima de se comunicar com Deus: a oração

Quando conhecemos uma pessoa há, dentre tantos sentimentos, dois mais frequentes: antipatia, simpatia e empatia. A simpatia permite-nos aproximar da pessoa e, à medida que se dialoga, relaciona-se, cria-se um vínculo mais profundo que é a empatia. Um rapaz e uma moça encontram-se, simpatizam-se, começam um processo de enamoramento e chegam à conclusão que podem constituir a vida juntos. Um amigo encontra o outro e condivide a sua própria história pessoal e demais aspectos da própria existência. Isso é possível pelo diálogo que permite ampliar laços e pela intimidade que os fez se conhecerem mutuamente e se amarem cada vez mais. Trata-se de um *eu* que vai ao encontro de um *tu*, experienciam-se e ampliam seus horizontes individuais. Essa atitude requer de ambos abertura, disponibilidade, arte e criatividade. Ao contrário é a antipatia, aquela sensação que vem quando se conhece alguém e não há uma reciprocidade e possibilidade de aprofundar o relacionamento.

Em primeiro momento, podemos dizer que a oração é um diálogo de amor do ser humano com Deus e de Deus com o ser humano. Há um ser humano que fala e Deus que escuta. Um Deus que fala e um ser humano que escuta e, aos poucos, esse diálogo se torna cada vez mais íntimo até chegar à comunhão entre o ser humano e Deus. Assim, oração, em seu verdadeiro sentido, é a experiência da intimidade e da comunhão mais profunda de uma pessoa com Deus.

Para Santa Teresa d'Ávila (1515-1582), grande mestra espiritual, a oração é trato amoroso com Deus, ou seja, é toda a forma de comunicação interpessoal com Deus, na familiaridade e na simplicidade. É um diálogo de amor e de amizade com Ele, no qual Deus e ser humano doam-se reciprocamente. Desse modo, orar é colocar-se numa atitude de fé perante Deus, com o coração aberto, num diálogo de profundo amor. É tocar a vida do próprio Deus e experimentar o tudo Dele e se deixar tocar por Ele, no tudo humano, ainda que por causa da contigência humana não se consiga abarcá-Lo por causa da grandiosidade. É não ter medo de Deus, e experimentar o fascínio, numa atitude de Graça. A oração é a atitude de gratuidade frente Àquele que nos criou sem exigir de nós nada em troca, a não ser o amor a tudo aquilo que por Ele foi criado.

Na oração, é preciso levar em conta o caráter da interioridade, isto é, a profundeza do nosso ser, nossos afetos, uma vez que a oração é também *relação afetiva com Deus e com os irmãos*. Uma oração que se limita apenas ao racional é meramente discurso camuflado, com aspecto sacral. Ela deve comprometer a pessoa, caso contrário, corre um sério risco de ser individualista e vertical (eu e o meu Deus!), esquecendo-se dos irmãos. Deve envolver a totalidade humana, fundando-se nas ações de Jesus que orou (comunhão com o Pai) e agiu (o encontro com as pessoas, o chamamento dos discípulos, as curas e o perdão (cf. Lc 6,12-19). *A oração deve nos envolver inteiramente e nos interpelar a uma prática tranformadora.* Há quem pense que só a oração basta. É preciso traduzi-la em ações concretas na vida cristã. *São Tiago nos recorda:* "Meus irmãos, de que adianta alguém dizer que tem fé se não tiver as obras? Acaso esta fé poderá salvá-lo? Se um irmão ou uma irmã estiverem sem roupa e sem o alimento diário, e alguém de vós lhes disser: 'Ide em paz, aquecei-vos e comei bastante' – sem lhes dar o necessário ao corpo –, de que adianta? Assim também a fé, se não tiver obras, está totalmente morta. Mas alguém poderá dizer: 'Tu tens a fé e eu tenho as obras'. Mostra-me tua fé sem as obras, mas eu, é pelas obras que te mostrarei minha fé" (Tg 2,14-18).

Muitas pessoas vivem na correria do seu dia a dia e não encontram tempo para rezar. Outras, no entanto, perdem-se em futilidades. O que fazer, quando não se tem, de fato, tempo para essa conversa íntima com Deus? Proponho duas modalidades muito simples. A primeira, a oração de quem não tem tempo. Ao sair para as atividades cotidianas, onde quer que esteja reze: *"Deus/Senhor, caminhe comigo!"* Medite até ser capaz de contemplar – *olhar a realidade com os olhos de Deus*. Outro modo, é tomar, todos os dias, um pequeno versículo bíblico, como por exemplo: *"O Senhor é o meu Pastor, nada me falta"* (Sl 23(22),1) ou *"Senhor, tu me sondas e me conheces"* (Sl 138(139),1), e repetir em forma de jaculatória ao longo da jornada, como se sussurrasse nos ouvidos de Deus. São orações simples, mas que nos mantêm com o espírito conectado com o Autor da Vida.

É importante, no momento de pausa, rezar a história pessoal, o cotidiano da própria vida, e ofertá-la a Deus, numa grande ação de graças. A oração deve ser calcada na vida, na nossa realidade histórica, que é dom precioso e gratuito de Deus. Nessa mesma gratuidade tal qual o Criador nos fez, oferecer as primícias do nosso ser e aquilo que construímos durante a nossa rotina: alegrias, tristezas, sonhos, fracassos, ressentimentos. O que importa para Deus é a dádiva, quando se é capaz de dizer-lhe: "Senhor, eis-me aqui, oferto, nesta oração, todo o meu ser, tudo o que consegui realizar neste dia de hoje!" Essa atitude liberta das diversas formas de egoísmo e torna o ser humano simples como o próprio Deus e capaz de percebê-Lo na simplicidade das coisas corriqueiras.

Se a vida se torna oração e conseguimos meditá-la, é possível atingir o que denomino de *mística contemplativa do cotidiano*. Posso afirmar que é a maneira mais fácil e mais exigente de orar, pois depende apenas da pessoa, e nem sempre ela se permite participar desse evento. Deus já está de braços, coração e ouvidos abertos à escuta e, na sua pedagogia paternal, conduz por caminhos tenebrosos e desconhecidos com segurança. Este pequeno texto de Isaías nos coloca diante da ternura de Deus. "Acaso uma mulher esquece seu bebê e deixa de comover-se pelo fruto de seu seio? Mesmo se as mulheres esquecessem, eu, porém, jamais te esquecerei. Eis que te gravei sobre a palma de minhas mãos..." (Is 49,15s).

O cultivo da oração diária é importantíssimo para o cristão, seja ela pessoal ou comunitária. Uma não deve se desprender da outra. A oração, a meditação e a contemplação fazem parte do espírito humano e têm implicações à vida. Se no mundo cristão se levasse a cabo a Palavra de Deus, a vida de oração, a meditação e a contemplação haveria, sem dúvida, maior sentido e abertura à vida e, por consequência, muito maior solidariedade ao próximo. Há exemplos de pessoas que conseguiram levar uma vida orante e se lançaram à ação em favor daqueles que não têm ninguém por eles.

3. Oração: intimidade e comunhão com Deus

Se a definição mais usual de oração é a de diálogo com Deus, surge a pergunta: como dialogar com alguém que não vemos diante de nós ou ao menos escutamos o timbre da sua voz? Temos a necessidade de presença, de voz, de símbolos, de imagens, de algo para nos apoiar e nos certificar de que estamos dialogando com alguém, e com Deus não ocorre isso, não podemos vê-lo, escutar sua voz... Tantas vezes queremos certezas, provas e, ao lidar com o divino, elas se esvaem, restando-nos uma espécie de dúvida ou de crise diante do mistério. O próprio Deus nos tira as nossas certezas... é a pedagogia divina para que aprendamos a auscultar de forma mais profunda a voz que gostaríamos de ouvir materializada em um som, mas que é percebida nas profundezas do coração humano.

Certamente, é por causa de nossas certezas dogmatizadas ou pelo desejo excessivo delas que não podemos captar o modo de Deus falar ao nosso coração. Somos ansiosos por respostas imediatas – realidade própria do humano – e nem sempre essa resposta acontece como queremos. A experiência do mistério divino responde-nos de forma diferente, surpreendente, atingindo nossas vísceras. Por isso, é importante lermos os sinais de Deus na realidade, em nossa vida, os quais ocorrem por meio da intimidade, da fidelidade, da perseverança e pela presença do Espírito Santo, que nos chama à comunhão entre o nosso ser e Deus.

Captar o que Deus nos fala insere-nos na sua intimidade. Intimidade significa, literalmente, adentrar no mistério de si e do outro; entrar na alma de alguém. Isso só é possível pelo amor. Experiências humanas como a do namoro, dos casais que se amam profundamente e da amizade exprimem essa realidade. Intimidade e amor levam à comunhão e na comunhão cessa a palavra. A partir daí, obteremos respostas do diálogo com Deus. Ele nos fala, de modo sutil, ao coração (Os 2,16).

É nesse intervalo de silêncio que surge a oração mais profunda, porque ela se torna a ousadia humana de adentrar no coração de Deus, na sua intimidade, e na nossa pequenez, deixar que Ele acampe em nosso coração. Quando ocorre não existe mais a barreira da palavra, e a solidão e o silêncio se tornam presença e certeza mistérica de um encontro de amor. A intimidade nos faz captar e compreender o que Deus nos fala, não como voz física, mas como presença de amor. É na intimidade que codificamos esta presença divina e podemos asseverar: Deus falou comigo!

Se podemos captar a sutileza de Deus por meio da intimidade, do amor e da comunhão, devemos conservar tal dádiva por meio da nossa fidelidade a Ele, da nossa dedicação amorosa, do nosso respeito e compromisso diário com a nossa oração. Ser fiel a Deus é amá-lo com todo o nosso coração, com toda a nossa alma e com todas as nossas forças (Dt 6,4), recordando que o seu amor é forte para conosco e a sua fidelidade dura para sempre (Sl 117/116,2), mesmo quando somos infiéis. A fidelidade divina a nosso favor tira-nos o medo e nos faz arder o coração. Metaforicamente, seremos como a mariposa hipnotizada pela luz. Sempre nos faltará algo... teremos sempre uma saudade do divino até o dia que nós o veremos face a face.

O nosso gesto fiel se dá pela nossa oração cotidiana, a partir da meditação da Escritura, da oração pessoal e da celebração comunitária, sobretudo da Eucaristia. A nossa fidelidade se expressa em dedicar um tempo às coisas de Deus. "Quando fores rezar, entra em teu quarto, fecha a porta e reza a teu Pai em segredo, e teu Pai, que conhece todo segredo, te dará a recompensa" (Mt 6,6). É deixar que Deus penetre em nossos mistérios insondáveis, em nossos segredos, em nossa intimidade, para que ocorra a comunhão. Esta será nossa recompensa, porque ao deixá-lo visitar nossa intimidade podemos conhecê-lo. Ao reservarmos um tempo a Deus, também estamos reservando um tempo para nós, para nossos confrontos pessoais, para a reelaboração de conflitos, de problemas, de situações da vida que requerem parada. E nada melhor do que fazê-lo na presença do Senhor que nos escuta!

IV. A oração como alimento para o caminho espiritual

A visita de Deus em nossa tenda, em nossa habitação nos provoca de modo que somos impulsionados a contar o que experimentamos aos outros e a não nos conformarmos de reter tal evento somente para nós. Há uma alegria intensa que brota do interior e quer ser anunciada. Quem experimenta Deus profundamente na oração não retém a experiência para si. Não foi essa a experiência das pessoas curadas por Jesus? (Lc 18,35-43). De Maria ao receber o anúncio do anjo? (Lc 1,26-56). Das santas mulheres na manhã da ressurreição? (Lc 24,1-12). Não compartilhar a vida oracional e seus frutos é intimismo e é a morte da oração. Mateus 18,19ss recorda-nos esta dimensão comunitária da oração: "Também vos digo: se dois dentro vós, na terra, pedirem juntos qualquer coisa que seja, esta lhe será concedia por meu Pai que está nos céus. Porque, onde dois ou três estão reunidos em meu nome, ali estou eu no meio deles".

Aliada a nossa intimidade e fidelidade está a perseverança. Sem ela acabamos por nos perder nas encruzilhadas do desânimo, da nossa displicência pessoal, das nossas desculpas ou das nossas noites escuras. A perseverança nos faz colocar as metas da oração, auxilia-nos na dimensão ascética da vida oracional, impulsiona-nos e nos dá dinamicidade à vida oracional, fazendo-nos trilhar nosso itinerário espiritual não como obrigação imposta, mas pela dádiva que é este espaço comunicativo com Deus. E por sê-la, toca nas nossas profundezas, impulsionando-nos a este encontro com o divino.

At 2,42ss recorda-nos: "Eles perseveravam na doutrina dos apóstolos, na vida em comunidade, na fração do pão e nas orações". Esse versículo nos remete às primeiras comunidades cristãs e nos convida a fazermos o mesmo cotidianamente por meio da Escritura, do partir o pão eucarístico e também aquele de nossa vida e da oração pessoal e comunitária. Perseverar na oração não deve ser um fardo para o cristão e sim algo que sempre o ajude a aprofundar sua vida íntima com Deus e com a comunidade de fé, com a força do Espírito. Além da perseverança não podemos nos esquecer da sua presença. A Igreja sempre o invoca para iluminar os acontecimentos na vida litúrgica, eclesial, teológica, etc. Ele é um sinal de renovação, de criatividade, de lançar-se na aventura dos caminhos de Deus e do impulso à comunidade orante. Se a comunidade reunida experimenta a força fecunda que gera vida nova no seu coração, isto nos serve de inspiração para não nos esquecermos deste nosso Companheiro Mistagogo que nos guiará nos caminhos da oração.

A presença do Espírito é fundamental na nossa vida orante. Invocá-lo ajuda-nos a entrarmos nesta comunicação íntima com Aquele que nos quer sempre perto Dele. Ao mesmo tempo, fortalece a nossa fidelidade e sustenta nossa perseverança. Este Espírito Santo suscitará em nós um "pentecostes", fazendo-nos descobrir novas linguagens para os nossos métodos de oração e nos impelindo a sair dos muros intimistas, que nos fazem criar um "deus" à nossa imagem e semelhança, e a não experimentarmos o Deus que nos criou à sua imagem e semelhança para sermos criaturas anunciadoras do seu amor, da sua presença e da sua fidelidade.

4. A Oração de Jesus: Senhor, ensina-nos a rezar!

Se oração é experiência da intimidade, da relação filial e da presença do Espírito Santo que nos chama à comunhão entre o nosso ser e Deus, na oração de Jesus esses elementos aparecem de forma intensa e visível, porque ele aglutina em sua própria pessoa tal realidade. Entre Ele e o Pai há sintonia e obediência profundas. Essa relação é tão intensa, que em determinado ponto, Ele chama o Pai

IV. A oração como alimento para o caminho espiritual

de *Abbá*, que significa papaizinho, quando chega a sua hora e a sua alma está profundamente triste. "Abbá! tudo vos é possível; afastai de mim este cálice. Mas não aconteça como eu quero, mas como vós quereis" (Mc 14,36). Tal expressão aramaica mostra o grau de intimidade entre os dois e nos interpela a percorrer o mesmo itinerário de Jesus. Assim sendo, podemos perguntar: o que Jesus nos ensina para melhorarmos nossa oração?

Os evangelhos trazem vários relatos sobre a experiência oracional de Jesus. Após ser batizado Ele se pôs a rezar (Lc 3,21); retirava-se para lugares desertos e se entregava à oração (Lc 5,16; Mc 1,35). Antes de escolher os doze, foi para a montanha e passou toda a noite em oração a Deus (Lc 6,12). Com seus discípulos Pedro, Tiago e João subiu ao monte para orar e num desses dias, enquanto orava, seu rosto se transformou (Lc 9,28). Essa intimidade com o Pai fez com que os discípulos pedissem para que Ele os ensinasse a rezar (Lc 11,1-4). E, por intermédio da oração, Ele roga pela fé de Simão. Assim, a oração para Jesus nunca foi um apêndice. Ela marca momentos importantes da sua vida, e, sobretudo, da sua missão. É desse diálogo profundo que ele vai discernindo, confirmando o seu modo de agir, bem como buscando forças para os desafios que encontrava: a dureza de coração das pessoas, a falta de fé, a opressão aos seres humanos. Tudo isso feria o coração do Mestre.

Jesus é homem orante. Após suas atividades, despedia o povo retirando-se sozinho para orar (Mc 6,46; Mt 14,23). No momento crucial de sua missão, no Getsêmani, convida Pedro e os dois filhos de Zebedeu para orarem com ele, pois sua alma estava numa profunda tristeza. Jesus reza três vezes, no relato de Mateus (Mt 26,36-46), e faz a experiência do abandono de seus discípulos, de seu povo e até seu Pai silencia, para depois dar o grito triunfante contra a morte na ressurreição, ressuscitando seu próprio filho.

A oração jesuânica é sempre em conformidade e intimidade profunda com o Pai (Jo 11,41ss). A sua oração para a comunidade joanina se exprime: "que todos sejam um como Tu, Pai, estás em mim e eu em ti, para que eles estejam em nós e o mundo creia que Tu me enviaste" (Jo 17,21). O capítulo 17 de João é a oração que demonstra a inter-relação de Jesus com a realidade que o rodeia e a intimidade com o seu Pai. Nesse sentido, a oração de Jesus é um diálogo Eu-Tu-Tu Absoluto, o Pai. A oração Dele é uma atitude relacional e se coloca em plena abertura e diálogo. O Pai, por sua vez, permanece numa atitude de silêncio, à escuta profunda de seu Filho.

Por meio da sua pregação, Jesus nos ensina a rezar. Combate a oração farisaica e elogia a oração sincera do publicano (Lc 18,9-14), conclamando todas as pessoas a pedirem com confiança (Mt 7,7-11) e a não rezarem como os hipócritas em pé nas sinagogas e nas esquinas das praças para serem vistos (Mt 6,5-13).

Na vida de Jesus se percebe claramente dois elementos importantes: orar e agir. Há momentos que ora e depois vai ao encontro das multidões; em outras situações, depois de um intenso trabalho, retira-se, sozinho: "Tendo-as despedido [a multidão], subiu ao monte para rezar na solidão" (Mt 14,23). Ou com a sua comunidade: "Jesus tomou consigo Pedro, João e Tiago e subiu ao monte para rezar" (Lc 9,28). Esse modo de Jesus proceder faz-nos pensar em algumas dimensões existenciais: fé e vida, cultivo da espiritualidade pessoal e comunitária, fé e compromisso social. Há quem pense que oração está dissociada da vida cotidiana e do agir. Ao contrário, as duas coisas caminham juntas. Uma oração verticalizada, que não tem consequências para o agir, nega a realidade e pode tornar-se alienante. A experiência de oração passa pelo contato com Deus, e não nos deve tirar os pés do chão da realidade para que possamos enfrentar os desafios cotidianos, com a força do Espírito de Deus.

IV. A oração como alimento para o caminho espiritual

A sintonia com Deus nos leva ao compromisso com as causas do Reino: o sofrimento das pessoas, o conforto aos desesperançados e a luta pela dignidade humana. Este foi o modo de Jesus agir. Basta ver o seu programa de vida: "o Espírito do Senhor está sobre mim, porque me ungiu para evangelizar os pobres, mandou-me para anunciar aos cativos a libertação, aos cegos a recuperação da vista, pôr em liberdade os oprimidos e proclamar um ano de graça do Senhor" (Lc 4,18s).

Na oração de Jesus também se constatam outros dois elementos: o pessoal e o comunitário. Ele faz uma experiência com o Pai, sozinho e em solidão. Isso nos faz pensar no cultivo de nossa oração e da espiritualidade pessoal. É preciso momentos a sós com Deus para confrontar-nos, para ouvir nossos barulhos internos e organizar nosso templo interior, fazer nossas perguntas a Ele, expor-lhe nossos sofrimentos e deixar que o seu Espírito fale em nós. Tudo isso com o coração aberto, sem medos e sem máscaras. Trata-se de um trabalho pessoal que tem sua ressonância na comunidade.

O ser humano é um ser comunitário e relacional e isto vale também para a oração. Na comunidade aquilo que experimentamos é colocado em comum com outras experiências e aí celebramos. A celebração é a expressão pessoal e comunitária de nossa oração, em sintonia com os diversos acontecimentos da vida humana. Celebramos as alegrias, as dores, as tristezas, nossos agradecimentos e nossos pedidos. Portanto, viver e celebrar em comunidade depende do retirar-se pessoal e de condividir de modo efetivo aquilo que se experimentou, com os outros. Ao mesmo tempo, percebe-se que a comunidade ajuda a intensificar a oração pessoal. Jesus nunca desprezou a experiência comunitária: nunca se afastou do seu povo sofrido, de sua comunidade de oração nem dos seus discípulos.

A vida orante de Jesus nos inspira. A partir dela, é possível, do nosso jeito, com confiança, acreditando no nosso potencial, lançar-nos para buscas mais audazes na nossa vida espiritual para alimentar a nossa fé. O itinerário orante de Jesus só foi possível porque ele acreditou em si e no Pai. E por isso, foi até o fim. Confiar em nós mesmos e em Deus é um bom caminho para a superação do desânimo e do marasmo na vida oracional. E nos momentos cruciais, é importante assumirmos a palavra dos discípulos de Jesus: "Senhor, ensina-nos a rezar" (Lc 11,1a). Podemos dizer: Senhor, ensina-nos a rezar do seu jeito, do jeito que somos!

5. A Oração da Igreja Primitiva

Os Atos dos Apóstolos, nas suas primeiras páginas, narram a experiência orante dos primeiros cristãos. Afirmam que eram assíduos na doutrina dos apóstolos, reuniam-se em comum, partiam o pão e oravam. Tinham fé e viviam unidos (At 2,42-47) num só coração, numa só alma, davam testemunho da ressurreição de Cristo e não havia indigentes entre eles (At 4,32-37). Os apóstolos, com algumas mulheres do grupo e Maria, eram unânimes e perseveravam na oração (At 1,14).

Olhando o contexto das primeiras comunidades verifica-se que elas estão à sombra do episódio da morte e da ressurreição de Jesus e passam por todos os desafios de compreenderem tal mistério, bem como resolverem seus conflitos internos e os externos, assim como as perseguições e martírios (At 6,8–8,1-3). O pequeno ícone bíblico das comunidades primitivas nos ilumina para intensificar a nossa oração e as consequências da vida orante, o serviço aos demais.

A assiduidade ao ensinamento dos apóstolos e a perseverança da comunidade na oração ajuda seus membros a captarem algo mais profundo e a compreenderem, de fato, quem foi

Jesus, para além da presença física no meio deles. Nesse sentido, o ensinamento dos apóstolos é memorial, porque sempre coloca a comunidade na dinâmica atualizada do evento da paixão, morte e ressurreição de Jesus, de modo que ela é convocada a uma fé orante, e a não esmorecer. Por isso, necessita de luzes para superar medos e anunciar a boa nova do Ressuscitado. Se a comunidade era assídua ao ensinamento dos apóstolos é porque traziam nesta mensagem uma profunda experiência de Deus. Experimentaram Jesus, rezaram com ele, sofreram com ele e agora anunciam o que vivenciaram. O que os apóstolos pregavam constituía base para a dinâmica orante da comunidade. Após a morte de Jesus tudo fica obscuro e a comunidade tem que ressignificar a própria fé, qualificando-a para compreender o evento pascal e isso não foi tão simples. O alicerce que recebem do ensinamento apostólico e daqueles que conviveram e rememoravam o ensinamento do Mestre torna-se referencial na vivência profunda da comunidade. É nela que captam algo mais intenso, mais profundo.

Não se pode pensar ingenuamente que as primeiras comunidades não tiveram conflitos na sua formação, bem como na sua forma de compreender o ensinamento dos apóstolos sobre Jesus (At 15,1-12). No entanto, optam por algo que vai além desses entraves. Sabem que sem a comunidade são mais vulneráveis e não podem testemunhar o que Jesus lhes havia ensinado.

Em termos oracionais, a comunhão fraterna significa sintonia com o coração de Deus e dos irmãos, mesmo com as diferenças. A comunhão fraterna, na oração, é assumir o outro, que se faz nosso companheiro e se alimenta do mesmo pão que nós. As primeiras comunidades tinham a sua vida de fé e nos primeiros séculos não foi fácil testemunhá-la em meio às incompreensões e às perseguições, porém foram assíduas e perseverantes, de modo que, juntas, puderam suportar todo o sofrimento que lhes foi imposto.

A comunidade recorda sempre o evento Jesus Cristo em sua vida em comum e, nessa vivência, relembra o gesto de Jesus, a fração do pão. Lucas, no episódio de Emaús, relata como os olhos deles se abriram quando Jesus toma o pão, abençoa, parte, distribui-lhes e eles o reconhecem (Lc 24,30-35). Os outros evangelistas mencionam as aparições do ressuscitado no encontro da comunidade, à mesa (Mc 16,14), recordando a experiência de comer peixe e pão (Jo 20,9-14), alimento trivial, mas que recorda a íntima comunhão dos comensais e a relação com o Mestre.

A fração do pão é o nutriente da diaconia aos outros, isto é, faz o ser humano ser capaz de se partilhar como pessoa e oferecer o melhor que tem de si. Ao fracionar o pão com os seus, o Ressuscitado fez o coração dos seus seguidores(as) arderem. Por esse gesto faz com que os primeiros cristãos repassem continuamente pelo coração quem fora o Mestre Jesus em gesto, palavras e ações. É no ato do repartir, de doar que eles reconhecem o Filho de Deus.

A ação do Ressuscitado na vida da comunidade é *shalom*, realidade oracional, de bênção, de agradecimento e simultaneamente interpelação para que não se feche em si, mas reparta o seu próprio pão. Caso contrário, não poderá ser chamada de cristã, porque se fechou à dádiva da doação.

Indo além dos Atos dos Apóstolos Paulo sempre exorta à comunidade a importância da oração apresentada a Deus pela súplica em ação de graças (Fl 4,6), com espírito e inteligência (1Cor 14,15) e a necessidade da humildade, da caridade e de ser assíduo (Rm 12,9-13), constante e perseverante nesta atitude (Cl 4,2). Significa que não se pode falar de comunidade cristã se esta não tiver a prática oracional sustentada pela Palavra, ou pelo partir do pão e pela própria vida fraterna. Estes três elementos densificaram a oração e animam os que aderiam à fé cristã para a

IV. A oração como alimento para o caminho espiritual

missão de anunciar o Ressuscitado para além dos muros de Jerusalém. Paulo é o exemplo concreto de alguém que, em um determinado momento, foi tocado pela experiência profunda de Deus das primeiras comunidades. Isto o fez mudar de vida: de perseguidor a anunciador (At 9,1-30).

Do que refletimos até aqui se pode averiguar que os primeiros cristãos tinham um modo de orar muito simples e concreto. Partiam dos eventos cotidianos, louvavam, agradeciam, suplicavam e também tinham seus momentos de desânimos. Paulo exorta a comunidade para que não desanime: "sede esforçados, sem preguiça, fervorosos de espírito, a serviço do Senhor. Sede alegres na esperança, pacientes na tribulação e perseverantes na oração, solidários diante das necessidades dos irmãos, acolhedores na hospitalidade (Rm 12,8-21).

> Que vosso amor seja sem fingimento, detestando o mal e aderindo ao bem. Amai-vos uns aos outros com amor fraterno e, quanto ao respeito, cada qual considere os outros como mais merecedores. Sede esforçados, sem preguiça, fervorosos de espírito, a serviço do Senhor. Sede alegres na esperança, pacientes na tribulação e perseverantes na oração; sede alegres na esperança, pacientes na tribulação e perseverantes na oração; solidários diante das necessidades dos irmãos, acolhedores na hospitalidade. Abençoai os que vos perseguem; abençoai e não amaldiçoeis. Alegrai-vos com os que se alegram, chorai com os que choram. Tende os mesmos sentimentos para com todos, sem procurar grandezas, mas assumindo as tarefas humildes; não vos considereis como sábios. Não pagueis a ninguém o mal com o mal; procurai

fazer o bem diante de todos; vivei em paz com todos, se possível, enquanto depende de vós. Não façais justiça com as próprias mãos, caríssimos, mas deixai agir a ira de Deus, pois está escrito: 'Sou eu que farei justiça, eu é que retribuirei', diz o Senhor. Ao contrário, 'se teu inimigo tem fome, dá-lhe de comer; se tem sede, dá-lhe de beber; fazendo isso, ajuntarás brasas sobre sua cabeça'. Não te deixes vencer pelo mal, mas vence o mal com o bem.

Desta experiência dos nossos antepassados na fé, não podemos nos esquecer que na oração nossa de cada dia é importante perseverar na intimidade com o Senhor. Somente a aproximação simples, fiel, com nosso jeito de ser, fará o nosso coração arder e sermos atentos às necessidades de nossos irmãos que sofrem e acolhê-los com a nossa hospitalidade, serviço e solidariedade.

6. Rezar ao Pai em segredo: o cultivo da oração pessoal individual

Ao refletir sobre a oração não se pode esquecer de abordar o tema da experiência oracional no contexto da pós-modernidade em um mundo urbano, cheio de barulho, *stress*, falta de tempo e até mesmo de desânimo e desesperanças. Nesta situação, o que não se pode desprezar? Penso que antes de tudo é a oração individual.

É muito comum se referir à oração individual, aquela que se faz a sós ao Senhor, como oração pessoal. Aplica-se à oração em grupo, o termo oração comunitária. Em termos gerais, toda oração é pessoal, pois é a pessoa, seja individual ou em comunidade, que se dirige a Deus. Assim, denominarei *oração pessoal individual* àquela que rezamos ao Pai

IV. A oração como alimento para o caminho espiritual

em segredo (Mt 6,6) e *oração pessoal comunitária* aquela em que duas ou mais pessoas se reúnem em nome do Senhor (Mt 18,19s). A oração é a expressão da intimidade de pessoas enquanto indivíduos e comunidade em relação a Deus, que abrem seu coração para pedirem, agradecerem e louvarem. É coração e mente humanas em sintonia com o divino.

É comum na correria do cotidiano relatos de falta de tempo para a oração, sobretudo para a oração pessoal comunitária. Ambas as modalidades são importantes à vida espiritual da pessoa, porém se não é possível a participação em comunidade, pelo menos se deve recordar o ensinamento mateano: "quando fores rezar, entra em teu quarto, fecha a porta e reza a teu Pai em segredo, e teu Pai, que conhece todo segredo, te dará a recompensa.Em vossas orações, não useis muitas palavras, como fazem os pagãos, pensando que Deus os atende devido às orações longas. Não os imiteis, porque vosso Pai sabe o que precisais, antes mesmo que lho peçais" (Mt 6,6-8). Em outras palavras, é importante não perder de vista o momento a sós com Deus e isso se pode fazer em qualquer lugar. Nesse encontro pessoal, muitas vezes é preciso deixar de lado a palavra e permanecer apenas no grande silêncio escutando o coração de Deus.

A oração pessoal individual não deve faltar em nossa vida e cada pessoa pode criar o seu espaço e tempo orantes. Se em Mateus fala-se do quarto como ambiente de recolhimento, podemos dizer que a metáfora do quarto é o espaço ou momento interior que criamos para rezar. É o espaço, templo pessoal, que necessitamos para colocar nosso ser em sintonia com Deus e isso pode ser feito no trem, no ônibus, em uma praça, no trabalho, etc. Cada pessoa pode e deve criar o seu momento. Ele é importante para nutrir a vida espiritual.

Na oração pessoal individual estamos a sós com nós mesmos e com Deus. É o momento que temos para nos confrontar e buscar melhorar nossas atitudes, um espaço vital, porque nos faz repensar sobre o modo como estamos conduzindo a nossa vida, a nossa relação com os outros e com Deus. Nessa perspectiva de confronto e de encontro, dois elementos são fundamentais para iluminar esta ação: a invocação do Espírito Santo e a Palavra de Deus.

O Espírito ilumina o nosso templo interior. Além disso, Ele está ligado à dinâmica criativa, de transformação, de movimento, de conversão e aos dons: sabedoria, inteligência, ciência, conselho, fortaleza, piedade e temor de Deus. Nesse sentido, o Espírito provoca-nos uma *metanoia*: mudança de mentalidade, de coração. Se o Espírito é o nosso propulsor, Ele também nos coloca nos caminhos da Escritura. Na oração pessoal individual é importante recorrermos a este livro santo. Dele, podemos extrair iluminação, força e determinação para o nosso agir. Vale lembrar que a Escritura não é manual ou receita para cura de doenças ou fórmulas para resolver problemas da vida. É inspiração, admoestação, modo de confronto de atitudes, etc. "Toda a Escritura é inspirada por Deus e é útil para ensinar, convencer, corrigir e educar para a justiça, para que o homem de Deus seja perfeito, equipado para toda boa obra" (2Tm 3,16-17). Portanto, leituras fundamentalistas do texto bíblico são perigosas e não fazem bem à oração. Das Escrituras se podem utilizar textos dos salmos, versículos, e tantos outros que trazem um profundo ensinamento. Há uma imensidão de passagens orantes e devem ser aproveitadas na nossa oração pessoal individual.

Se invocamos o Espírito para iluminar nosso itinerário orante e para nossa leitura do texto bíblico, é fundamental nos colocarmos na atitude de discípulo para escuta de Deus, por meio do Espírito que nos fala. Para isso é importante a entrega de todo o nosso ser do jeito que ele se encontra: alegre, triste, animado, cheio de dúvidas, sofrimentos. Na oração rezamos o que experimentamos e, se convergem as duas realidades – a que se vive e a outra que se reza –, é muito salutar. O que somos e vivemos trazemos para dentro do momento oracional e nele, com a ajuda do Espírito e das Escrituras, discernimos e modificamos nosso agir.

Diante de Deus com o coração aberto, podemos dizer como o salmista: "Escutai, Senhor, minhas palavras, atendei meu clamor; ficai atento à voz de minha prece, meu Rei e meu Deus, pois é a vós que imploro. Senhor, de manhã ouvis minha voz, bem cedo para vós me volto e fico esperando" (Sl 5,2-4). Devemos implorar a Deus sempre um coração novo e dócil ao Espírito para que nossa oração nos transforme em pessoas espirituosas.

Embora a oração pessoal individual esteja sempre ao nosso alcance, muitas vezes há as fugas. Os subterfúgios vão desde o cansaço à escolha de algo mais atraente para se fazer. Depreende-se então que há a necessidade de tomada de postura e de uma ascese pessoal. Assim como o atleta vai se exercitando aos poucos e tornando mais intenso seus treinamentos, não é diferente na vida prática oracional. Isso exige perseverança!

Às vezes, a dificuldade em rezar está no fato de não querermos nos confrontar, sobretudo quando estamos a sós no silêncio. Vem à mente um turbilhão de situações: lembranças, desejos, tristezas, alegrias, fragilidades, e nossos lados obscuros. Temos a tendência, ao nos deparar com esses desafios, de abandonar nossa experiência orante. Certamente é aí que falhamos. Não devemos ter medo desses eventos, são humanos, fazem parte de nós. Devemos nos recordar que estamos acompanhados pelo Espírito do Senhor e ele nos guiará em nossos itinerários interiores. Mesmo que visitemos nossos vales de ossos secos, o Espírito está presente e fará brotar vida nova (Ez 37,9).

Devemos nos colocar a caminho e refletir sobre a oração pessoal individual. À medida que a densificamos, melhoramos e intensificamos o desejo da vida em comunidade e de encontrar outras pessoas para condividir esta profunda experiência em nome do Senhor. Ela é convite-diálogo para que Deus sempre permaneça conosco e não nos abandone no entardecer do nosso cotidiano atribulado (Lc 24,29). É convite para que entremos com Ele no segredo de nossa existência e, lá, partilhemos o pão da Palavra e deixemos que o nosso coração arda, quando Ele sussurra em nosso coração com a sua palavra de vida eterna.

7. Oração pessoal comunitária: reunidos em nome do Senhor

A vida comunitária é um dos desafios do ser humano e também uma riqueza. Embora existam conflitos, não é possível viver sem os outros. Há sempre uma relação de interdependência e isso se dá desde o nascer até o ocaso da vida humana. Se há essa necessidade do outro para tantas questões do viver humano, não se pode esquecer que, para o cristão, dentre tantas dimensões do ser humano, existe a vida espiritual, que também permeia os seus relacionamentos cotidianos. Assim, um dos modos de nutrir a fé e a espiritualidade é a oração pessoal comunitária, momento riquíssimo em que a comunidade cristã se une pela fé para louvar, pedir e agradecer a Deus as dádivas que ele concede.

Sempre ao iniciar uma oração, invoca-se a Trindade. Quer dizer que o ato que se deseja celebrar-rezar é em nome do Pai, do Filho e do Espírito Santo. A comunidade terrena invoca sobre si a comunidade divina, coloca-se em diálogo com ela, pedindo a força criadora do Pai, o amor redentor do Filho e a renovação e a comunhão no Espírito. Ao mesmo instante que é convite para que a comunidade divina caminhe conosco, manifesta o anseio da comunidade humana de entrar na sintonia amorosa que emana do coração do Deus trino.

O que se pode constatar é o encontro de duas comunidades que se interrelacionam e não são estáticas, pois são impulsionadas pela experiência do amor. Esse amor que emana do coração da Trindade toca o coração do ser humano que, na sua pequenez, capta o coração divino e o do próximo e faz com que a oração pessoal comunitária não seja algo vertical, mas permeada pelas relações cotidianas do viver humano, e depois volte para o coração de Deus trino.

Assim, toda oração, seja ela pessoal individual ou comunitária, é gesto de amor de quem experimentou o coração de Deus nas mais diferentes facetas da vida. A oração é o gesto da pequenez humana que se expressa diante Daquele que jamais abandona o ser humano, mas o recria, redime-o e o renova. Nesse sentido, a oração pessoal comunitária é importante, pois além de ser invocação para que Deus sempre caminhe conosco, é também encontro de irmãos reunidos na fé que foram batizados: em nome do Pai, do Filho e do Espírito Santo, recordando que a fé cristã não possui apenas uma vertente salvífica individual, mas também comunitária.

Sob a inspiração trinitária a oração pessoal comunitária é um convite para que a oração pessoal seja um encontro em que todos sejam um só coração e uma só alma (At 4,32). Em termos bíblicos, coração representa a profundeza, o mistério e a consciência humana; a alma, toda a vitalidade do ser humano, aquilo que o anima, projeta-o, torna-o vivo, com nostalgia de Deus. Então, a oração pessoal comunitária torna-se um convite para que voltemos às nossas fundações interiores, coloquemo-nos em sintonia – coração a coração – e foquemos a dimensão animadora da e na comunidade.

O que faz a comunidade ser um só coração e uma só alma é a fé que ela professa. A fé reúne a comunidade, integra-a, anima-a para que vá além das próprias muralhas e perca o medo de captar a voz de Deus no seu coração e, animada, anuncie o que experimenta, pela força da oração. A comunidade que reza na dinâmica de um coração e uma só alma segue seu caminho inspirada no dito de Jesus: "onde dois ou três estão reunidos em meu nome, ali estou eu no meio deles" (Mt 18,20).

Se anteriormente dizíamos que em nossa oração invoca-se a Trindade, nominando-a, aqui também a comunidade orante faz a sua experiência em nome do Senhor. Ela não se reúne em seu próprio nome, sim Daquele que é a razão primeira de existir humano e alimento da espiritualidade. Além disso, reunir-se em oração pessoal comunitária em nome do Senhor é reforçar os laços da comunidade entre si para que não subsistam sem a sua pedra angular, além de eliminar os perigos de fazer do encontro oracional a imposição sobre o grupo do "eu pessoal", dando vazão à egolatria dentro da comunidade.

A oração pessoal comunitária como momento de encontro com o Senhor faz a comunidade retomar sempre o percurso das comunidades que nos precederam na fé, reavivar suas memórias, atualizá-las e recordar que ser cristão significa partilhar com o próximo não somente bens materiais, mas também os espirituais, e um deles é a oração em comunidade. Orar em comunidade chama-nos à responsabilidade. Rezamos, reunidos em nome do Senhor, e isso nos compromete para que possamos nos ajudar mutuamente no projeto salvífico.

A oração, seja pessoal individual ou comunitária, é um valor para o cristão e não deve ser colocado em segundo plano. Não é só um valor espiritual, é também social. Vivemos em tempos de transformações socioculturais que afetam até mesmo o modo de expressar a fé. Antigamente era comum reunir-se comunitariamente nas casas e, mesmo, nas Igrejas. Hoje, isso se torna dificultoso pelo crescimento das cidades, pelo aumento da violência e da insegurança e pelas inúmeras possibilidades de escolhas que as pessoas têm, tal como ir ao cinema, ao restaurante, ao shopping, etc.

Se, de um lado, temos a realidade das transformações cotidianas, de outro, o cristão tem o desafio também de ressignificar seu modo de cultivar a espiritualidade. O que não pode é deixar de lado o espírito comunitário. Se não é possível ir até os vizinhos, é possível, com alguns ajustes, reunir-se em família ou na capela da comunidade. Há que se criar alternativas que ajudem a superar o comodismo e o isolacionismo. Portanto, a oração pessoal comunitária não cumpre só papel espiritual, mas também de convivência humana. Em um mundo em que as pessoas vivem cada vez mais para si, recolhidas nos seus mundos, seja por medo ou por egoísmo, a oração cumpre uma função social de convocar, reunir, aglutinar. Coloca-nos face a face com o nosso semelhante. E, com ele, colocamo-nos face a face com Deus, em oração.

Nesse encontro, podemos perceber a vida que pulsa no coração de cada pessoa que ali está: alegrias, tristezas, fracassos, superações... o ser humano como realmente ele é. E é com essa vida pulsante que nos reunimos em nome do Senhor, porque Ele nos dá o alimento necessário para nutrirmos nosso espírito e livra-nos de nos acomodarmos em nossas gaiolas de ouro, que nos privam da liberdade de escavar as pérolas preciosas da fé, do encontro com o outro e do fechamento que esvazia e mata a comunidade de fé. Ser desafiado pelo olhar do outro que penetra nosso ser é importante para refletirmos sobre quem somos e também pensarmos sobre a fé cristã.

A oração comunitária deve ser momento que nos encontramos ao redor da Escritura, da Eucaristia, das orações dos terços, das novenas, dos eventos alegres e tristes da comunidade. Em cada um deles, condividimos nosso ser uns com os outros e convidamos o Senhor para que fique sempre conosco. É o grande encontro da família à festa. É onde se partilha a vida e todo o ser; daí ser a expressão de profunda alegria. O momento de oração comunitária deve ser o da grande festa em que celebramos toda a nossa realidade humana, no banquete do Senhor, bebendo o vinho da alegria, partilhando o pão da vida, convidando, servindo e curando as feridas daqueles que ainda não encontraram um sentido para viver.

8. Oração de Louvor: reconhecer a bondade de Deus

Uma das formas de oração é o louvor. Trata-se de uma manifestação que brota da profundidade do coração humano em relação Àquele que merece todo o louvor humano, porque "ele é bom". Em outros termos, louvar é elevar a Deus agradecimentos por todas as maravilhas feitas por Ele na vida humana e, mesmo nos momentos mais difíceis, louvá-lo pela força da superação ou até mesmo da ressignificação de um sofrimento. O Cântico de Ananias, Azarias e Misael é um belíssimo louvor e glorificação a Deus em meio à perseguição e à morte (Dn 3,51-90). Do louvor vêm a força e a certeza de que Deus não abandona o ser humano.

O verbete "louvar" é polissêmico, podendo ser usado, tanto em sentido de uma homenagem prestada a alguma personalidade importante ou pessoa benfeitora de alguma obra, seja social, cultural, quanto religiosa. No sentido religioso, diz-se louvar a Deus, aos santos e à Virgem Maria. Evocam-se, então, o agradecimento, a bênção, a proteção, ao mesmo tempo, constitui um ato de demonstração de fé e confiança.

O louvor pode ser usado também em sentido mesquinho na busca de auferir benefícios. Neste caso, não expressa a dádiva, e agir dessa forma é fazê-lo pensando em si, nos interesses pessoais e não pode ser considerado algo positivo que brota do coração sincero como reconhecimento gratuito. Portanto, há que se tomar certo cuidado com os tipos de louvores que, às vezes, são disfarçados de autoelogios, de interesses espúrios e podem usar até o nome de Deus para essas finalidades. O louvor é gesto gratuito, desinteressado, de reconhecimento de valor de ação de outrem. Visto dessa forma, por detrás da atitude de louvor está um reconhecimento do outro, seja pessoa, seja uma divindade, deslocando o centro de um "eu" para um "tu". Dito de outro modo, a capacidade de louvar, no seu sentido pleno, parece nos libertar da autosuficiência, uma vez que reconheço que o outro é capaz ou que há uma realidade transcendental para além de mim.

Se o louvor, do ponto de vista religioso, está relacionado ao agradecimento, à bênção, à proteção, ao reconhecimento da bondade e da misericórdia de Deus, penso que exploramos pouco esta dimensão orante. A oração de louvor não está aqui associada a grupo de louvação, mas atitude humilde de coração. Isto se dá à medida que lemos nosso cotidiano e percebemos as ações de Deus que acontecem nele, mesmo em situação de sofrimento. Muitas pessoas, diante do sofrimento, suportam tal realidade com a força que vem da fé e, porque possuem uma memória agradecida, sentem no fundo do coração a força de Deus pulsando e sofrendo com elas. E, num gesto heroico, reconhecem o amor e a companhia de Deus em suas vidas.

Para a oração não existe hora, mas iniciar o dia que se descortina, louvando a Deus pela dádiva da vida e, ao concluí-lo, louvá-lo pela vivência do dia com desafios, trabalho realizado, conflitos é muito salutar, pois demonstra um coração aberto, generoso e de reconhecimento de que na nossa vida, com a nossa labuta, Deus é sempre presente. A oração de louvor é oração encarnada que sente o pulsar da vida nas suas diferentes interfaces.

O salmo (145/144,1-3) diz: "Ó Deus, meu rei, quero exaltar-vos e bendizer vosso nome eternamente e para sempre. Quero bendizer-vos todo dia e louvar vosso nome eternamente e para sempre. Grande é Senhor e digno de todo louvor; insondável é sua grandeza". É perceptível, neste texto, a alegria, que brota do coração humano, reconhecendo a glória, a grandeza, o cuidado do Senhor para com seus filhos, bem como sua justiça, proteção e consolação. Há a alegria profunda do ser humano crente que louva e, com coração humilde, é capaz de captar o que Deus faz em nosso favor.

A oração de louvor recorda a presença de Deus não somente em alguns momentos da vida. Conforme canta o salmista no salmo 146/145,1-2: "Aleluia! Louva a Javé, minha alma; enquanto eu viver, louvarei a Javé, cantarei hinos a meu Deus por toda a minha vida". Nesta atitude se percebe o desejo de aderir àquele que é a razão do existir humano. Na continuidade deste salmo louva-se Deus criador, fiel, justo, libertador, que cura o ser humano que ama e que ampara os frágeis. Trata-se de um texto orante que nos auxilia a captar a beleza e bondade de Deus que se manifesta na vida humana. Na sequência o salmo 147(146) convida-nos a louvar ao Senhor porque ele é bom, porque cura os corações atribulados e feridos, conhece cada um de seus filhos, chamando-os pelo nome, é providente e dispensador de bênçãos. Ao reconhecer as maravilhas de Deus, o salmista faz uma invocação para glorificá-lo, convocando não somente os seres humanos para esta atitude, mas como todo o universo e tudo que nele existe (Sl 148). Há um coração que arde e que quer expressar com todo o criado o reconhecimento e a alegria de pertencer à obra de Deus.

Nas orações sálmicas de louvor, verifica-se que há uma estrutura festiva e não se celebra somente um evento, mas é uma atitude por toda a vida. Quem crê jamais se esquece de Deus!

A oração de louvor é tanto pessoal individual quanto pessoal comunitária. A experiência individual deve ressoar no comunitário. Ao contrário, torna-se mero intimismo. Cada pessoa experimenta em primeira pessoa o amor, a misericórdia, o carinho e a amizade divinos nos eventos da vida. Ao compartilhar com a comunidade de fé tal experiência, oferece-se, pessoalmente, a riqueza de um coração aberto que se coloca sempre na perspectiva da pequenez, da humildade e a serviço para que a comunidade possa também experimentar Deus e ver que tudo é bom.

A oração de louvor não é algo que nos anestesia em relação à realidade que nos circunda. Se Deus fez/faz maravilhas, por parte dos seres humanos há ambivalências. Nesse sentido, a oração de louvor é tomada de consciência das atitudes humanas que não correspondem ao projeto divino, e valorização daquelas que são feitas em benefício do próximo. Faz questionar o própria atitude orante: como orar com uma consciência tranquila se exploro, se violo a vida, se sou egoísta...? Qualquer que seja a oração ela deve ser fundada na fé em Deus e na realidade com as suas belezas e contradições. Isto dá equilíbrio na espiritualidade e na expressão orante do crente.

Portanto, a oração de louvor brota do cotidiano e da relação íntima que temos com Deus. É a expressão de reconhecimento Daquele que está sempre conosco, libertando-nos de nossos desertos e nos quer junto com Ele para experimentar sempre o seu amor. A oração de louvor abre os canais da percepção e da graça para reconhecer as qualidades dos outros, viver a humildade e a ver a vida positiva e alegremente, mesmo com seus espinhos cotidianos.

9. A oração de Agradecimento: a gratuidade que emana do Espírito

Quem é capaz de agradecer possui o coração livre e generoso. Não estamos falando daquele agradecimento formal e frio que muitas vezes fazemos simplesmente por educação e polidez, sim daquele que brota do coração, reconhecendo o outro como ser que nos ajuda a melhorar nossa qualidade de vida. Agradecer é abandonar a prepotência, o egoísmo e se tornar pequeno, reconhecer. Por isso, uma das formas orante que temos é a oração de agradecimento que está muito próxima à do louvor: "Aleluia! Celebrai ao Senhor, pois ele é bom, porque eterno é seu amor!" (Sl 105(106),1).

Agradecer parece ser algo tão banal que muitas vezes passa despercebido em nosso cotidiano e vamos perdendo a nossa capacidade de fazê-lo às pessoas ou a Deus. Vamos nos tornando insensíveis e incapazes de agradecer as pequenas coisas que recebemos. O agradecimento demonstra não só a educação de uma pessoa, mas pode revelar algo mais profundo, uma atitude espiritual. Agradecer é uma atitude de apreço e de valorização do outro(a).

O tema do agradecimento e, por conseguinte, da ação de graças, recobra-nos algo importante, a dimensão da gratuidade. Isso nos toca profundamente, uma vez que o mundo onde vivemos lida com uma série de interesses comerciais, de trocas e tudo tem o seu preço. Ficamos cada vez mais pragmáticos, aprendemos a agregar valores em produtos, e vamos nos esquecendo de agregá-los nas atitudes de gratuidade que emergem nas nossas teias de relações cotidianas.

Há agradecimento e agradecimentos... Há os formais garantidos pelos protocolos e regras sociais. Todavia, há aquele que nasce de uma dimensão profunda do ser humano, da sua interioridade – a memória agradecida – e é um ato espiritual, pois se situa na dimensão da profunda gratuidade. Para se chegar a esse nível requer a percepção das pequenas coisas, da sacramentalidade que emana de ações de pessoas que nos rodeiam e de nosso gesto de nos colocar numa atitude humilde e generosa de dar, de receber, de agradecer e também de ofertar.

Se pararmos um pouco e refletirmos sobre a nossa vida, veremos que ela é resultante da profunda gratuidade de Deus que tudo nos proporciona por meio da sua Criação e de pessoas que nos amaram e nos amam. Não é à toa que o salmista exclama: "Aleluia! Louva a Javé, minha alma; enquanto eu viver, louvarei a Javé, cantarei hinos a meu Deus por toda a minha vida" (Sl 146(145),1-2).

A vida humana é muito mais do que um período cronológico e que se mantém por condições bio-físico-psíquicas em equilíbrio. Tudo isto é necessário para vivemos bem, e neste conjunto a vida é criatividade e transformação do ambiente em que estamos situados, comportando alegrias, felicidades, dores, angústias, pedidos, agradecimentos e até mesmo a morte. É muito mais fácil agradecer quando nos ocorre algo bom. Somos motivados pelo princípio do prazer. Aprender a agradecer, mesmo quando as coisas não boas acontecem, requer contemplar a vida além de um aspecto físico, lê-la no seu conjunto e com um olhar espiritual. É preciso dar um salto de fé! Não se trata de atitude passiva, sim de perceber que, mesmo em situações de extrema dor, há o parto de algo novo que nos traz percepções diferentes da vida. Isso já nos evoca/provoca nossa capacidade de agradecer.

Numa visão cristã recobra-nos também o tema da esperança. A esperança não é espera angustiante, é espera agradecida e crente, porque se fundamenta em uma única certeza, Deus. "Que o Deus da esperança vos encha de toda alegria e paz na fé, a fim de que sejais ricos de esperança pela virtude do Espírito Santo" (Rm 15,13). Por isso, o cristão é sempre ser esperançoso, e mesmo diante das intempéries da vida, é capaz de evocar do fundo da sua alma um "obrigado, Senhor!"

É na condição de viventes com as nossas relações, que podemos experimentar a gratuidade e também expressá-la aos que nos rodeiam. Esta gratuidade vem desde o nosso agradecer por estarmos vivos e também pelas coisas positivas que a vida nos dá. Mesmo quando tudo parece perdido, há algo belo a ser encontrado. Não existe vida que seja uma tragédia... o que existe é algo que necessita ser descoberto, ressignificado mesmo quando a tragédia acontece!

A vida na sua tessitura vai se fazendo pelas nossas ações pessoais e também pela percepção que temos do divino. Dt 4,39s nos ajuda a refletir: "Reconhecei, pois hoje, e gravai em vosso coração que Javé é Deus, lá em cima no céu e aqui embaixo na terra, e não há outro. Observai suas leis e seus mandamentos, que hoje vos prescrevo, para que sejais felizes vós e vossos filhos depois de vós, e vivais longos anos na terra que Javé, vosso Deus, vos dá para sempre". O texto nos faz refletir em como repousamos nossa história e ações em Deus e também deixamos com que ele nos modele. Isto significa não colocar ídolos em nossa vida e caminhar com Ele sempre.

Tantas vezes fazemos da nossa relação com Deus algo mercantil. Somente pedimos. Se Ele nos concede, agradecemos. É salutar pedir, faz parte da dinâmica oracional: "pedi e recebereis; buscai e achareis; batei e a porta será aberta. Pois todo aquele que pede recebe "Pedi e recebereis; buscai e achareis; batei e a porta vos será aberta. Pois todo aquele que pede recebe; quem procura acha; e ao que bate, abre-se a porta (Mt 7,7-8a). No entanto, é preciso agradecer a Deus, e isto pode ser exprimido na forma da oração de louvor. Louvar a Deus, agradecendo-lhe tudo que nos concedeu, é uma atitude generosa e humilde diante daquele que nos criou, nos ama e nos cura de nossas fragilidades. Lucas nos relata a cura dos dez leprosos e a atitude agradecida de somente um deles que voltou para agradecer o Senhor (Lc 17,11-19). O relato lucano nos recorda a memória agradecida daquele homem que experimentou a libertação e a salvação.

Se o agradecimento a Deus é importante e se expressa na nossa oração de agradecimento e de louvor, não podemos nos esquecer de que estamos rodeados de pessoas que amamos e que nos amam. Elas também constroem a nossa vida. Cada uma deixa uma marca em nós, positiva ou negativamente, de modo que a nossa vida é um mosaico que abrange as nossas relações cotidianas. De cada pessoa colhemos um fragmento que nos ajuda a construir essa obra de arte que é a nossa vida.

Em uma sociedade frenética, com seus valores e vícios, é importante recordarmos a bondade das pessoas. Se pensarmos bem, desde nossa concepção dependemos de outros e finalizaremos nossos dias dependendo de alguém. Não nos bastamos... Certamente pela nossa história já passaram incontáveis pessoas e não teremos como agradecê-las pessoalmente. Mas, pela nossa memória agradecida, devemos recordá-las no amor de Deus, e àquelas que já se foram desejar que vivam felizes na glória eterna do Pai. Recordar a memória dos antepassados de nossa fé, daqueles que nos geraram, dos nossos idosos, dos trabalhadores, das mulheres, das crianças e de todo o existente, que faz o mundo ser diferente a cada dia, é um gesto espiritual que deve ser transformado em oração. Chama-nos à ascese para valorizar os outros e a Criação, coisa que muitas vezes nos esquecemos.

Assim, agradecer a Deus e as pessoas não deve ser um gesto apenas de conclusão de etapas que se findam, sim atitude orante do homem e da mulher de fé que leem a profundidade dos acontecimentos e valorizam o semelhante. Talvez o mundo fosse melhor se cada um de nós não desprezássemos nossa memória agradecida e a partir dela entoássemos uma grande oração de agradecimento. Isso não é simples gesto de cavalheirismo, é atitude que emana do Espírito, que é pura gratuidade e que nos faz generosos com o nosso próximo.

10. Oração para discernimento: pedir ao Senhor a sabedoria

Uma das grandes virtudes humanas é a sabedoria. Nem sempre esta virtude está atrelada ao conhecimento intelectual. Alguém pode ser profundamente culto e não ser sábio. Ao contrário, uma pessoa simples, iletrada, pode sê-lo extremamente. O próprio Jesus exclamou: "Eu vos bendigo, ó Pai, Senhor do céu e da terra, porque estas coisas que escondestes aos sábios e aos entendidos, vós as revelastes à gente simples" (Mt 11,25). A sabedoria nasce de um olhar contemplativo diante da vida e é capaz de dar uma resposta precisa e profunda que leva a uma reflexão sobre a existência e a uma postura diante do mundo, a provocar mudança das ações, seja no âmbito das escolhas e decisões pessoais, como naquele das relações humanas.

Na concepção grega a sabedoria possui uma índole racional enquanto que na bíblia ela é dada por Deus, a Sabedoria que tudo criou: "Deus de meus pais e Senhor de misericórdia, que tudo criastes com vossa palavra, que com vossa Sabedoria formastes o homem, para dominar as criaturas que fizestes, e governar o mundo com santidade e justiça e exercer o julgamento com ânimo reto, dai-me a Sabedoria, que se assenta no trono a vosso lado, e não me excluais do número de vossos filhos, porque sou vosso servo e filho de vossa serva, homem fraco e de vida breve, incapaz de compreender a justiça e as leis. Até o mais perfeito entre os filhos dos homens, sem vossa Sabedoria, será tido por nada. Vós me escolhestes como rei de vosso povo e juiz de vossos filhos e de vossas filhas; mandastes-me construir um templo em vosso santo monte, um altar na cidade onde morais, imitação da tenda santa que preparastes desde o princípio. Convosco está a Sabedoria que conhece vossas obras, que estava presente quando criáveis o mundo; ela conhece o que é agradável a vossos olhos e o que é conforme a vossos mandamentos" (Sb 9,1-9).

Este trecho é atribuído a Salomão que reconhece a sua pequenez e pede a Deus sabedoria para governar com retidão e justiça, fazer tudo o que é agradável ao Senhor e ser guiado em suas ações: "Mandai-a dos céus santos, de vosso trono glorioso, para que me assista e trabalhe comigo e eu saiba o que vos é agradável. Ela, que tudo conhece e tudo compreende, vai guiar-me com prudência em minhas ações e proteger-me com sua glória. Assim minhas obras vos serão agradáveis; eu julgarei com equidade vosso povo e serei digno do trono de meu pai" (Sb 9,10-12).

Assim como Salomão, devemos rezar a Deus pedindo a sabedoria para discernir entre aquilo que é bom e mau em nossa vida. Muitas vezes, a realidade é uma mistura fina de joio e de trigo e não é fácil fazer a melhor opção ou tomar a melhor decisão diante dos fatos. Por isso, a oração para o discernimento é importante, porque nos coloca sempre na perspectiva da iluminação do Espírito Santo e numa atitude prudencial. É o Espírito de Deus que ilumina nossa inteligência, abre o nosso coração à escuta da voz divina e da realidade, dá-nos a prudência para julgar o que é melhor e a coragem para tomar a decisão e assumir a responsabilidade por ela.

O discernimento proporciona ir ao cerne das questões mais profundas de nossa existência e descobrir o sabor da beleza da vida, com suas luzes e sombras. Por isso que o sábio tem um olhar holístico e contemplativo frente ao mundo em que vive, porque é capaz de tocar a profundidade das coisas e lê-las a partir do coração amoroso e misericordioso de Deus e descobrir que 'tudo é bom'. O sábio sabe discernir porque na sabedoria "há um espírito inteligente, santo, único, múltiplo, sutil, móvel, perspicaz, puro, claro, invulnerável, amante do bem, penetrante, irresistível, benéfico, amigo do homem, firme, seguro, sereno, que tudo pode, tudo vê, e que penetra todos os espíritos inteligentes, puros, os mais sutis. A Sabedoria é mais ágil que qualquer movimento; por causa de sua pureza tudo atravessa e penetra. Pois ela é um sopro do poder de Deus, uma emanação genuína da glória do Onipotente; por isso nada de impuro nela se infiltra. É um reflexo da luz eterna, um espelho sem mancha da atividade de Deus e uma imagem de sua bondade" (Sb 7,22-26).

Devemos recuperar essa modalidade de oração em nossa vida diária. Não poderia a nossa vida, a nossa comunidade e o nosso mundo estarem melhores se, antes de tantas ações impensadas, fizéssemos um processo de discernimento? O discernimento visa encontrar o melhor caminho ou descobrir que a estrada assumida não é aquela que leva ao destino desejado. A via do discernimento é dialógica e, em termos oracionais, é consciência que se deixa iluminar pelo Espírito que nos coloca em diálogo profundo com o Pai e em escuta de nossas vozes interiores que nos permitem individuar aquilo que queremos assumir como opção. Discernir é deixar-se ser guiado por Deus e não ter medo de para onde ele nos levará. "Quem se levanta cedo para encontrá-la não se cansa: pois a encontra sentada a sua porta. Refletir sobre ela é a perfeição da inteligência, e quem está vigilante por ela logo estará tranquilo" (Sb 6,14-15).

Todos os dias ao começarmos nossas ações é fundamental rezar ao Senhor pedindo o discernimento para que nosso agir possa promover a transformação do ambiente em que vivemos, seja em nossa sociedade, família, trabalho etc. "A sabedoria não entra numa alma que pratica o mal nem habita num corpo escravo do pecado. Pois o santo espírito, que ensina, foge do fingimento, mantém-se longe dos discursos insensatos e se retira quando sobrevém a injustiça" (Sb 1,4-5).

A sabedoria nos ajuda na clarividência, elemento primordial para um bom discernimento. Ampliar a capacidade de discernir é ir nos libertando de amarras que nos aprisionam e nos impedem de ver os caminhos retos que levam a uma vida em Deus e a descobrir a beleza que o ser humano é capaz de exprimir, quando se deixa modelar pelo Espírito de Deus.

11. Oração e ação: duas bases importantes para a vida espiritual

Apresentadas as diversas modalidades de oração, verificamos que ela é sempre encontro íntimo-dialógico com Deus, com o outro e com o mundo. É uma relação eu-tu Absoluto importante para o cultivo espiritual e aprimoramento de nosso ser. Ela deve ocasionar transformação na vida pessoal e levar quem reza a uma prática de vida, sobretudo no âmbito comunitário. Oração que só chama a Deus de Pai e esquece dos irmãos não é integral. Há que se ir mais além.

Como seres humanos estamos inseridos no mundo com as suas diferentes realidades. Isto não é diferente para o cristão crente. Além de inserido no mundo, este não deve fugir do mundo. Ele deve ter consciência do mundo. Num escrito bastante antigo, dos primeiros séculos, a Carta a Diogneto (±250 d.C.) recorda que os cristãos vivem como os demais no mundo e não são do mundo.

Os cristãos, de fato, não se distinguem dos outros homens nem por sua terra, nem por sua língua ou costumes. Com efeito, não moram em cidades próprias, nem falam língua estranha, nem têm algum modo especial de viver. Sua doutrina não foi inventada por eles, graças ao talento e especulação de homens curiosos, nem professam, como outros, algum ensinamento humano. Pelo contrário, mesmo vivendo em cidades gregas e bárbaras, conforme a sorte de cada um, e adaptando-se aos costumes do lugar quanto à roupa, ao alimento e a todo o resto, testemunham um modo de vida admirável e, sem dúvida, paradoxal. Vivem na sua pátria, mas como forasteiros; participam de tudo como cristãos, e suportam tudo como estrangeiros. Toda pátria estrangeira é pátria deles, e cada pátria é estrangeira. Casam-se como todos e geram filhos, mas não abandonam os recém-nascidos. Põem a mesa em comum, mas não o leito; estão na carne, mas não vivem segundo a carne; moram na terra, mas têm sua cidadania no céu; obedecem às leis estabelecidas, mas com a sua vida ultrapassam as leis; amam a todos e são perseguidos por todos; são desconhecidos e, apesar disso, condenados; são mortos, e, deste modo, lhes é dada a vida; são pobres, e enriquecem a muitos; carecem de tudo, e têm abundância de tudo; são desprezados e, no desprezo, tornam-se glorificados; são amaldiçoados, e, depois, proclamados justos; são injuriados e bendizem; são maltratados, e honram; fazem o bem, e são punidos como malfeitores; são condenados, e se alegram como se recebessem a vida. Pelos judeus são combatidos como estrangeiros; pelos gregos são perseguidos; e aqueles que os odeiam não saberiam dizer o motivo do ódio.[3]

Conforme se vê nesse belo escrito, ser cristão era (é) ter consciência de estar no mundo e ser no mundo, mas não lhe pertencer. Estar no mundo, para o cristão, significa relativizá-lo. Não que este não seja importante, é preciso torná-lo lugar onde se vive bem, mas ele não é o definitivo da existência. Ser no mundo vai além, porque implica ter consciência do mundo enquanto fugaz e profunda consciência de si, enquanto agente transformador do mesmo, tendo uma prática de vida diferente daquela que o mundo muitas vezes apregoa e são valores desumanizadores. Portanto, desde os primeiros tempos, a fé cristã traz no seu bojo o compromisso de transformar o mundo onde se vive.

Tomar consciência do mundo não significa vê-lo de modo dualista, lugar do bem e do mal. Para além dessa visão dicotômica, é fundamental saber que o mundo é ambíguo, dialético e que é preciso ter uma visão crítica para fazer o discernimento sobre qual o melhor caminho percorrer. Ao mesmo instante, perceber que neste mundo podemos encontrar situações de humanização, de profundo amor, de acolhida ao próximo, pois o mundo ainda não está perdido. Estas experiências devem ser resgatadas e cabe a cada cristão intensificá-la. Esta humanização nasce do cultivo da espiritualidade, da intensa vida orante ou de uma ética de vida que faz a pessoa cristã sensível às mazelas do mundo e a não pactuar-se com elas. Por isso, o cristão é alguém que pode trazer enorme contribuição para ajudar na transformação do mundo. Aliás, é dever, porque se funda sobre o ensinamento de Jesus e a sua pregação.

---

[3] Carta a Diogneto 5,1-17. In. PADRES Apologistas. (Carta a Diogneto, Aristides de Atenas, Taciano, o Sírio, Atenágoras de Atenas, Teófilo de Antioquia, Hérmias, o Filósofo). Col. Patrística. São Paulo: Paulus, 1995.

Estar no mundo nos permite captá-lo, enquanto que ser no mundo exige mudanças de estrutura seja pessoal, quanto iniciativas para melhorá-lo. Em termos de vida espiritual isso equivale à conversão. Estou no mundo, percebo-me nele e, a cada dia, devo converter-me para que eu possa auxiliar nas mudanças das estruturas da "casa" onde vivo.

Quando se fala em modificar estruturas, geralmente costumamos entrar em pânico, pois exige muito esforço e há muita coisa que ser mudada. Todavia, devemos começar pela conversão das pequenas atitudes, de nosso relacionamento cotidiano com os outros e a nossa qualidade de vida. Mudar pequenos hábitos ajuda-nos. Nossas pequenas conversões e mudanças de hábitos muitas vezes nos liberam das próprias neuroses que a sociedade atual nos impõe paulatinamente. A vida espiritual e a oracional são importantes para nutrir nossa conversão diária que se inicia por mudar hábitos e nos tornar mais solidários com os outros. Não é tarefa fácil, mas a fé em Jesus Cristo é força motriz para que não se caia no desânimo.

O próprio Jesus nos interpela a agirmos: "Por que me chamais: 'Senhor, Senhor', e não fazeis o que vos mando. Todo aquele que vem a mim, ouve minhas palavras e as põe em prática, vou mostrar-vos a quem se assemelha: é semelhante a um homem que, construindo uma casa, cavou, furou bem fundo e colocou os alicerces sobre a rocha; veio a enchente, o rio precipitou-se contra a casa, mas não a pôde abalar, porque estava bem construída. Ao contrário, quem ouve e não pratica é semelhante ao homem que construiu a casa sobre o chão sem alicerce" (Lc 6,46-49).

Mas Jesus também experimentou a falta de atitude e desânimo dos seus discípulos, a dureza de coração dos fariseus, a falta de conversão de tantas pessoas e a incompreensão de muitos do seu tempo. Nem por isso, ele desistiu de agir. Continuou encontrando pessoas, curando-as, libertando-as daquilo que as feria na sua dignidade. O que motiva o agir de Jesus é a sua intimidade com o Pai. Por essa razão, ele reserva momentos para encontrá-lo no silêncio, longe da multidão (Lc 6,12). É daí que encontra a força, o discernimento por meio do Espírito que o impulsiona, de modo que vai cada vez mais comprometendo a sua vida em favor dos pequeninos do Reino e entregando a própria vida.

Assim, a vida espiritual é um processo que vai nos exigindo conversões. Na oração cotidiana não se pode deixar de esquecer de pedir a Deus esta bênção. "Como é grande a misericórdia do Senhor e seu perdão para todos os que se convertem a ele!" (Eclo 17,28) Como reza o salmista o nosso coração deve sempre repousar em Deus, porque ele é nossa rocha e salvação (Sl 62/61).

Se o cultivo da espiritualidade pode nos ajudar na transformação da realidade, um dos campos do agir cristão está em contribuir para uma ética social. Cada dia que passa nos deparamos com a perda dos valores. A bondade, a honestidade, a justiça correm o risco de virarem artigos de luxo na sociedade atual. A corrupção, a desonestidade e a exploração do outro parecem estar tomando conta da sociedade. Acostumamos a escutar "ah, o ser humano é assim mesmo!" Há um conformismo e um individualismo alienantes muito fortes atualmente. O "eu" torna-se o centro do mundo e um "eu" sozinho morre, porque não é capaz de abertura criativa nem de aprender com o seu semelhante.

O cristão é chamado, evangelicamente, a ter uma postura diferente. Diante dos acontecimentos que violam a vida humana ele é interpelado a ter "indignação ética". Por isso, ser cristão é tão exigente, pois necessita melhorar, primeiramente as atitudes pessoais, olhando para dentro de si, para depois lutar por mudanças. O cristão não se acostuma com a corrupção, nem com a desonestidade... ele cobra transformação. Além da ação de Jesus, as Escrituras nos trazem exemplos frutuosos de luta por mudança. Os profetas expressam o descontentamento diante de uma sociedade idolátrica, injusta, que estava distante de Deus e que oprimia o ser humano, sobretudo os mais pobres. Eles não foram cúmplice de tais atitudes. Gritaram contra as injustiças de seu tempo. Desse modo, nossa espiritualidade e oração devem se transformar em ação concreta em nossa própria vida e em nossa sociedade para que possamos ajudá-la a ter vida em abundância.

V

A EXPERIÊNCIA DE DEUS: *TREMENDUM ET FASCINANS*

O Peregrino vivenciou diferentes realidades que o confrontaram e, ao mesmo tempo, enriqueceram-no. Foi um encontro que absorveu a sua totalidade, pois tocou diferentes realidades de suas vivências ocorridas em primeira pessoa, mas circundada por diferentes personagens que o ajudaram a fazer um caminho discipular. Nesse itinerário há um fator importante que deve ser levado em conta, quando se trata de espiritualidade, que é a experiência de Deus. Sem ela o alfa e o ômega da vida espiritual não se encontram e pode-se incorrer apenas em um exercício de autoconhecimento, mas que não chega à experiência do divino. Neste capítulo o objetivo é compreender o que se entende por experiência de Deus e algumas realidades que podem atrapalhá-la ou dela fazem parte e não devem ser causa de desânimo no processo de peregrinação interior e busca de Deus.

1. A experiência de Deus: breve definição

Quando se fala de experiência vem à mente uma série de imagens. Em ciência remete a uma série de campos: físicos, químicos, biológicos e outros; no contexto da vida em geral, pode estar relacionada a uma sabedoria adquirida ao longo dos anos ou à passagem por alguma situação envolvendo mais os aspectos sentimentais ou gostos da pessoa. Em síntese, o termo experiência pode ter muitas interfaces, dependendo do uso. Etimologicamente, a palavra experiência é composta de três outras palavras: *ex*: origem, 'movimento para fora', tirado de, 'fora de', movimento de... para, êxodo, saída, percurso; *peri*: contorno, ao redor de, abraço; *entia*: seres, realidades. Em outros termos, uma experiência é um sair de si para abraçar uma realidade para conhecê-la.

A espiritualidade e mística cristãs utilizam o termo experiência para exprimir a relação do ser humano com Deus. Ou seja, o resultado desse encontro com Deus. A pergunta que emerge é como experimentar/abraçar Deus, se ele é o totalmente Outro, o Absoluto, o Onipotente e tantas outras categorias a ele atribuídas? Podemos também indagar: qual a abrangência da experiência de Deus? Qual é a sua amplitude? Como ponto de partida, podemos dizer que Deus não pode ser totalmente abraçado, e toda experiência que fazemos dele será limitada, parcial, entretanto não significa que elas não sejam possíveis, superficiais ou parciais. Ao contrário, experimentamos Deus em nossas perfeições e limites e elas modificam a nossa vida. O que experimentamos é a partir da experiência que Ele tem de nós. Se de nossa parte não existe um coração disposto a acolhê-lo, ele não se impõe, respeitando a nossa liberdade. Deus fez a experiência do humano e, tão humano, que se encarnou. Antes de abraçá-lo ele nos abraçou (Sl 139/139).

Toda experiência de Deus que fazemos é um movimento, um êxodo de Deus que abraça o ser humano, envolve-o, plenifica-o e o confirma sempre no seu amor. Ela nos permite um saber sobre Deus, sabedoria (sabor de...). Nessa relação, Deus se aparece e se esconde. Ele é mistério e se mostra através das mediações. Mistério do grego: *Miein* – mys/ *mus*: esconder. Deus é aquele que está escondido e se revela a todos os seres humanos.

Na maioria das vezes o mistério é compreendido como uma barreira intransponível em relação ao conhecimento, algo hermético, indecifrável. Porém isso não é verdadeiro. Nesse sentido, Leonardo Boff assevera:

> Mistério, portanto, não constitui uma realidade que se opõe ao conhecimento. Pertence ao mistério ser conhecido. Mas pertence também ao mistério continuar mistério no conhecimento. Aqui está o paradoxo do mistério. Ele não é o limite da razão. Ao contrário. É o ilimitado da razão. Por mais que conheçamos uma realidade, jamais se esgota nossa capacidade de conhecê-la mais e melhor. Sempre podemos conhecê-la mais e mais indefinidamente.[1]

A experiência de Deus é situada, isto é, feita no mundo em que habitamos com as suas diferentes realidades socioculturais, político-econômicas etc. e envolve o ser humano na sua inteireza. É processo encarnado que envolve as realidades humana e divina e se manifesta em contentamento-descontente de quem a faz, de uma busca constante por Deus, semelhante ao atleta que treina todos os dias para atingir o prêmio. E um caminho importante é a oração, conforme se verá em capítulo próprio, mas que comporta alguns ruídos. Experimentar Deus não nos isenta dos desertos, das consolações e das desolações. Dentro delas Deus se manifesta de diferentes modos, mesmo quando parece ausente ou que nos abandonou.

---

[1] BOFF, Leonardo. *Ecologia, Mundialização e Espiritualidade*. São Paulo: Ática, 1993, p. 145.

2. Os ruídos que não nos deixam escutar a voz de Deus

É possível encontrar na experiência de Deus os ruídos. São aquelas realidades que estão dentro da nossa carne e *psique* que dificultam experimentá-lo. Uma delas já está inscrita ontologicamente em nosso ser – a natureza humana. Há outras: os sentimentos, a sociedade, a cultura, as psicoses, os processos de formação ou a falta de amor. Na Bíblia o grande ruído é o pecado. Desse modo, quanto mais eliminarmos os ruídos, mais facilmente poderemos experimentar e sermos experimentado. Quanto mais humanos, maduros e abertos formos, mais fácil será experimentar Deus. A experiência de Deus também é afetiva.

Além desses ruídos há outros que interferem na qualidade de nossa oração e experiência: a preocupação com as atividades (trabalho, estudos), falta de concentração por causa de barulho, indisposição para orar; dificuldade de integrar oração e as atividades cotidianas (trabalho, estudo), ativismo, falta de disposição e disponibilidade para reservar tempo para a oração; falta de dinamização espiritual, divagação do pensamento, necessidade de lugar silencioso e confortável; oração mecânica, falta de oração, dificuldade de orar em ambiente fechado; cansaço, não saber criar espaços pessoais de oração e conciliar preocupações cotidianas com a vida oracional; o barulho, a distração, a falta de um método pessoal de oração ou modelos de oração para manter o ritmo diário; a manutenção do silêncio e de locais adequados para rezar, preocupação com o dia a dia; falta de empenho e vivência da oração, vida espiritual em segundo plano, falta de abertura ao Senhor; dificuldade em ouvir o que Deus tem a dizer; impaciência em aceitar o próprio jeito de rezar, falta de criatividade e de um itinerário espiritual.

Conhecer tais elementos é importante para encontrar estratégias que visam melhorar os nossos encontros cotidianos com o Senhor e, certamente, responde a interrogação de tantas pessoas: por que não consigo rezar? Veremos a seguir diferentes situações nas quais aparentemente a experiência de Deus podia não ocorrer e, ao contrário, é ali que ocorre de modo muito intenso. Experimentar Deus é deixá-lo nos surpreender.

3. Experiência de Deus do deserto no itinerário da fé

Nem sempre a vida espiritual será uma calmaria. Quando nos propomos a fazer uma experiência de Deus de maneira mais intensa, dedicando-nos à meditação da Palavra, deparamo-nos com alguns desconfortos próprios deste sair de si e buscar algo novo. O que experimentamos não é negativo, é algo que nos faz mergulhar nas fundações do nosso ser, confrontarmos e no nosso santuário interior escutar o que Deus tem a nos dizer. Denominaremos estes momentos desconfortáveis e de encontro com o Senhor de deserto, compreendendo o sentido deste termo biblicamente, que pode ser traduzido como deserto espiritual.

Inicio com este breve poema de minha autoria que intitulei de *Deserto*:

Olho e busco – em torno de mim não há horizonte
Estou só. Busco me encontrar
Então procuro me localizar, olho para o céu
Decifro o leste e o oeste, o norte e o sul
Encontro-me no abismo paradoxal
Vida e morte
Calor e frio

No profundo silêncio só o eu que respira –
E busca manter a chama da vida.
Silencio

Para além do ruído de mim só o barulho de estrelas.
E o despertar causticante do sol que amanhece.
E me busco – lince veloz, olhar de águia.

Continuo a correr desesperado
Meu coração arde em chamas
Há uma força arrebatadora...
Há um fogo mais quente do que o sol do deserto!
Procuro, mas não encontro, sei que existe e está lá a me esperar...
É uma força que me atrai, me seduz e não consigo resistir

Do caminho do deserto descobri meu nada que busca o Tudo.
Continuo a correr...
Ergo os braços e minhas mãos querem tocar o horizonte,
porém não alcançam.

É profunda a luta, pois sei que a plenitude de meu ser se encontra exatamente naquele lugar onde as minhas mãos não conseguem tocar...
Luto comigo, com e contra as minhas próprias forças, mais do que com as tempestades de areia.

Quando afirmamos, do ponto de vista espiritual, humano-afetivo, que estamos áridos como um deserto, isto significa muita coisa. É algo muito denso e toca diretamente a nossa vida. Para isso é importante visitar as páginas bíblicas e considerar as diferentes percepções, desde a geográfica até a do encontro com Deus. O deserto é o lugar do paradoxo!

O deserto, nas Sagradas Escrituras, pode ser tomado como referência geográfica, no seu sentido denotativo ou no sentido conotativo, fruto de uma experiência de um povo Peregrino; como lugar teológico, sendo compreendido como local de conflito, da derrota, da peregrinação, de conhecer a si mesmo e de itinerância ao longo da história. Alguns capítulos dos livros do Êxodo e dos Números narram a experiência da caminhada pelo deserto. Nesse percurso, o povo de Deus passa por situações diversas que o leva à compreensão dos desígnios de Deus.

O deserto é ponto de encontro, local da marcha, é onde se celebra a Páscoa, serve-se a Deus, oferecendo-lhe sacrifícios, e se faz a experiência da Proteção divina e também do limite. É onde o povo toma consciência dos seus pecados, das suas fraquezas, fica desanimado, perde a esperança, experimenta a morte e a perda de identidade. É o local da sede, da amargura, da fome, da provação (Êx 15,22), do descontentamento, da falta de estrutura, do desânimo, do desejo de retornar ao que era antes, à segurança da terra do Egito (Nm 11,5.14,2),[2] mas também é onde se pode ver a glória divina sem obstáculos. É nesse lugar que Deus alimenta o povo e esse alimento é força para a libertação das garras do opressor. É onde se estabelece a Aliança e é a fronteira da Terra Prometida. É um lugar do contraste que, apesar da sequidão, há ainda uma fonte que jorra água (Gn 16,7). O deserto é o local da fidelidade à Lei e o limite entre a itinerância e a Terra Prometida.

No Levítico (Lv 16) temos referência ao deserto como local que se apresenta a oferenda ao Senhor Deus e onde se faz o ritual de expiação. Depois do ritual, os fiéis tomavam um bode expiatório e lançavam-no ao deserto. Para os antigos hebreus e cananeus, o deserto era o local da habitação do demônio.

Em Números (Nm 14,25; 20,4; 24,1; 33,6), temos a narrativa do povo caminhante. Neste livro, dentre os muitos referenciais do deserto, nós o temos como o local onde

---

[2] Cf. VV.AA, *Dicionário Internacional de Teologia do Antigo Testamento*, pp. 678-679.

Deus fala com Moisés, no Deserto do Sinai. É no Sinai que o povo estabelece a aliança com o Senhor. Esse pacto fez com que esse povo se tornasse preferido por Deus (Êx 19). E quando o povo sentiu fome e sede, Deus o alimentou com o maná (Êx 16) e saciou a sua sede, fazendo brotar água do rochedo (Êx 17,1-7). A experiência do deserto foi pedagógica, pois fez com que o povo seguisse a Deus com fidelidade (Jr 2,2). Mas na caminhada houve contestações, revoltas, desgostos, pois o povo é tirado do comodismo e chamado à nova realidade. Superar o deserto é o preço que paga para se livrar do Egito, mas é onde se vislumbra a vida nova quando se celebra a Páscoa.

No Pentateuco o deserto pode ser compreendido como: a) lugar da tomada de consciência do pecado e da libertação, isto é, quem quer se tornar livre passa pela insegurança, pela limitação e pela sequidão para se libertar das amarras de si mesmo e experimentar o dom amoroso de Deus ao seu povo (Nm 21,18); b) lugar marcado profundamente pela relação dialética entre a adesão do Povo ao seu Senhor e vice-versa, confluindo-se na preferência divina pelo povo, apesar de suas infidelidades. É onde ocorre a purificação de uma geração. A geração infiel ao Senhor morre durante a caminhada do deserto (Nm 32,13), ficando uma nova geração; c) é um lugar terrível, no entanto, por ele, caminha-se até o monte santo. Em Dt 1,29-33, há um relato muito interessante mostrando o Senhor como um pai que conduz o filho no caminho. Ele vai à frente do povo no deserto, mostrando por onde deve andar, e continua a acompanhá-lo pelo deserto, não lhe deixando faltar nada durante os quarenta anos. Esse é o sinal do amor e da fidelidade de Deus ao seu povo; e d) é lugar de obstáculos, da fragilidade da vida e também da ação beneficente e providencial do Senhor que salva o povo das intempéries, exprimindo a pedagogia divina e o amor ao povo, de modo a conduzi-lo à Terra Prometida. Para isso o povo deve mudar a sua rota e as atitudes. É o lugar onde Deus conquista o povo.

No deserto Davi escapa das mãos de Saul (1Sm 23,14). Nesse sentido simboliza o local de conflito e de fuga (Js 8,20). É onde há a perseguição, a insegurança e se experimenta o medo. Os Macabeus para resistirem à invasão helênica se retiraram para o deserto como forma de se protegerem (2Mc 5,27).

O profeta Isaías apresenta o deserto como uma imagem às vezes desoladora. Devido ao exílio, ele compara Jerusalém a um deserto. Por vezes, traz o sentido da esperança profética isaiânica: "águas no deserto e torrentes na estepe. A terra queimada se tornará lagoa e o país da sede, fontes de águas" (Is 35,6-7); "Transformarei o deserto num açude e a terra árida em mananciais de águas. Plantarei no deserto cedros, acácias, murtas e oliveiras; porei na estepe ciprestes, junto com olmos e abetos; para que vejam e reconheçam, prestem atenção e compreendam todos que a mão de Javé fez isto, que o Santo de Israel o criou (Is 41,18-120). Nesse sentido, em Isaías, o deserto representa a renovação das esperanças perdidas.

Além de todas as imagens que temos sobre o deserto, ele nos é apresentado como lugar da manifestação de Deus. É o Deus-Caminhante que marcha com o seu povo. É ao mesmo tempo lugar da manifestação da graça. É também o lugar da ruína, da ausência de vida, da solidão desoladora, da fome. Em Oseias temos uma referência muito interessante, pois o deserto é o lugar da sedução, onde se permite falar ao coração (Os 2,16): "Por isso, eu a atrairei a mim, vou conduzi-la ao deserto e falarei a seu coração" (Os 2, 16s) e é onde Deus conhece o seu povo (Os 13,5). Assim, o deserto na Sagrada Escritura é sinônimo de provação, bem como de renovação espiritual.

No Novo Testamento os evangelhos trazem o confronto de Jesus no deserto com o tentador (Mt 4,1-11; Mc 1,12-13 e Lc 4,1-13). O texto é colocado entre o Batismo de Jesus e o início de sua missão. Em outros termos, é no deserto que Jesus se confronta com a sua vontade, as vontades deste mundo e com a vontade e o projeto do Pai. É ali que ele deve lutar, padecer e vencer as forças do mal.

Como recorda Bento XVI,

> Jesus se retira, é o lugar do silêncio, da pobreza, onde o homem permanece desprovido das ajudas materiais e se encontra diante dos pedidos fundamentais da existência, é impelido a ir ao essencial e, precisamente por isso, é-lhe mais fácil encontrar Deus. Mas o deserto é inclusive o lugar da morte, pois onde não há água também não há vida, e é o lugar da solidão, onde o homem sente mais intensa a tentação. Jesus vai ao deserto, e ali padece a tentação de deixar o caminho indicado pelo Pai para seguir outras veredas, mais fáceis e mundanas (cf. Lc 4,1-13). Assim, Ele assume as nossas tentações, traz consigo a nossa miséria, para vencer o maligno e para nos abrir o caminho rumo a Deus, a senda da conversão.[3]

Por fim, em Ap 12, a mulher é levada para o deserto e alimentada por um tempo, tempos e metade de um tempo (Ap 12,6.14). Este texto parece ter relação com 1Rs 17,1-7, e 1Rs 19,5-7 com a história de Elias, incorporando elementos da profecia e do êxodo. Assim, no contexto apocalíptico, o deserto alude ao espaço de salvação e de proteção da vida, no caso da mulher, mais frágil do que o dragão, referindo-se à luta das primeiras comunidades cristãs contra seus perseguidores.

---

[3] BENTO XVI. Audiência Geral, 13 de fevereiro de 2013.

Em meio a estas experiências do Povo de Deus estão nossos desertos. Neste processo de peregrinação, vamos encontrando nossos oásis, que vão nos dando força para caminharmos rumo à nossa terra prometida, a um maior conhecimento de nós mesmos e de Deus.

4. O deserto e a sarça ardente:
o Deus caminhante se revela a Moisés

Nesse breve panorama sobre a caminhada do Povo de Deus no deserto para compreendermos os nossos próprios desertos, um texto paradigmático para nos ajudar nesse itinerário espiritual é o belíssimo relato da sarça ardente, que nos apresenta a atitude de Moisés diante de uma situação completamente nova. Apesar do medo, ele não foge, interroga, aproxima-se, deixa o seu coração arder. Eis o texto:

> Moisés era pastor do rebanho de Jetro, seu sogro, sacerdote de Madiã. Um dia, levou o rebanho deserto adentro e chegou ao Horeb, a montanha de Deus. Ali apareceu-lhe o anjo de Javé numa chama de fogo, do meio de uma sarça. Ele olhava: a sarça ardia sem se consumir. Moisés pensou: "Vou dar uma volta para ver este grande espetáculo: como é que a sarça não se consome". Vendo Javé que Moisés se voltava para observar, chamou-o do meio da sarça, dizendo: "Moisés, Moisés!". Respondeu ele: "Eis-me aqui". Deus lhe disse: "Não te aproximes daqui! Tira as sandálias dos pés, porque o lugar onde estás é uma terra santa". E acrescentou: "Eu sou o Deus de teu pai: o

Deus de Abraão, o Deus de Isaac e o Deus de Jacó". Moisés cobriu o rosto, temendo olhar para Deus (Êx 3,1-6).

O texto de Êxodo nos fornece uma estrutura teológica para compreender quem é Deus. Há que se analisar o contexto. A sarça caracteriza a imagem da estepe e é comum que esse arbusto pegue fogo, devido às altas temperaturas do deserto. A metáfora é aproveitada para mostrar o *tremendum*. Ao longo da história das religiões o fogo evoca tal realidade. O *tremendum* não é uma atitude de medo, sim de temor. Está além do que se pode compreender e leva quem o experimenta a sentir-se pequeno. O fogo transmite a realidade transcendental. A sarça queimar é coisa cotidiana no contexto desértico. O *tremendum* é a sarça não queimar. Essa imagem contém teor teológico profundo.

Essa manifestação desinstala Moisés que não vê a imagem de Deus. Ele vê a sarça queimando e não se consome. A experiência que Moisés vivencia inverte-lhe o cotidiano e quebra-lhe a rotina. Ele faz a experiência de Deus que lhe revela num cenário que transforma e que o destrói. Deus chama Moisés do meio da sarça. "Moisés, Moisés" e uma resposta: "eis-me aqui", invocando uma resposta característica da profecia. Não se aproxime daqui e tire a sandália e o lugar que você pisa é santo. Na mentalidade semita ninguém podia chegar próximo de Deus por ser o santo por excelência e o totalmente Outro. Além disso, é manifestação do *tremendum*, realidade que uma pessoa não conseguia abarcar. Esse *tremendum* transforma em *fascinium* aquilo que desperta para o mistério, encanta, faz colocar-se a caminho, transbordar quem o experimenta e toca a totalidade do ser.

Deus pede a Moisés para que ele tire as sandálias porque o lugar que está pisando é santo. Ali é terra santa, onde produz vida, e isso é fascinante! A sandália era usada para proteger os pés do calor e como sinal para celebrar os contratos que se davam na troca de sandálias que serviam como documentos jurídicos. Tirar os sapatos para entrar em local de culto é um rito muito antigo em voga até os dias de hoje.

A realidade estupenda desse relato é que Deus não se manifesta em um santuário, isto é, não está preso às estruturas, mas se revela livremente sem nenhuma mediação. É uma teofania que Moisés, embora medroso, aproxima-se. Deus o chama e ele tem uma aproximação obediente. Há o convite para que Moisés seja também um profeta. Talvez Moisés ainda está preso as suas próprias tradições. De repente, Deus se apresenta dizendo: "ouvi muito bem a miséria do meu povo que está no Egito. Ouvi o seu clamor contra seus opressores, e conheço os seus sofrimentos. Por isso, desci para libertá-lo do poder dos egípicios..." (Êx 3,7-8). Esses versículos manifestam a compaixão de Deus. Ele desce porque ouve e adquire uma forma antromórfica, não deixando de lado a divindade, assume um jeito humano, carinhoso, sai de si para chegar aos que estão oprimidos. A sequência verbal – ver, ouvir, conhecer e libertar – demonstra que Deus acontece na história do povo, conhece o sofrimento e a sua dor.

Deus insiste com Moisés para que ele tire o povo da opressão do Egito. Deste modo, Moisés é convidado a colocar em prática e a anunciar o que experimentou através do que viu. "Eu sou o que sou" (v. 14) é uma expressão difícil de ser traduzida. Ser – *haya*: acontecer, existir, ser. Em outros termos significa Deus presente na história e acontece com ela. "Eu sou o que sou" acontece na História. Deus é sem nome, não pode ser conhecido, identificado e não pode ser apreendido.

Ao longo da experiência de Moisés e do povo, constata-se a presença divina consoladora, bem como a terrível experiência que a divindade provoca, ao inverter os paradigmas estabelecidos ao descortinar horizontes, possibilitando ver as realidades do sofrimento cotidiano do povo. Moisés começa a ver a experiência de outra forma. Há a sarça ardente e a aliança que ele faz com Deus é de liberação e ele não pode mais voltar atrás ainda que queira, com seus desânimos e sua desolação. A sarça que queima e não se consome é o chamado de Deus para libertar o povo. Seu coração arde e o que lhe resta é consumir a vida por esta causa.

5. Desolação: quando Deus parece estar longe

Conforme vimos, a imagem do deserto é muito rica. Também nós possuímos os nossos desertos interiores. Há dias em que a nossa vida espiritual parece entrar em um processo de escuridão e temos a sensação de estarmos atravessando um deserto sem fim e o que vemos são miragens. Este processo faz parte do nosso itinerário humano-espiritual e são momentos também de crescimento, apesar do desconforto ou da sensação de um abandono ou de não estarmos dentro de nós mesmos. A essa realidade, denominamos desolação.

A desolação (não ter o solo sobre os pés) é um sentimento de não estar dentro de si mesmo, na casa interior, trata-se de uma situação angustiante de intenso questionamento. É como sentir-se num deserto – em uma extrema aridez – sem encontrar, de fato, uma explicação para o que ocorre. Nesse momento, parece haver uma sensação que Deus nos abandonou. Há um marasmo na fé e não é momento adequado para tomar decisões importantes, embora, esse seja momento de discernimento.

Do ponto de vista espiritual, a desolação é crescimento, purificação, crisol, por um processo de decantação. A pessoa passa por uma sensação de vazio, de insegurança e, muitas vezes, de noite escura da fé. Os santos também passaram por estes momentos em sua vida. O caminho da santidade é constituído por aridez e também pela presença de Deus.

Na oração, no retiro, isto é evidenciado. O retirante pode iniciar o seu retiro tendo a experiência de consolação e, ao longo de sua caminhada, experimentar a desolação e vice-versa. Ou ser uma experiência eufórica. Retirar-se é questionar-se, voltar ao interior, ir aos porões do coração. E visitar ou atravessar os desertos de nossa vida espiritual, vocacional e afetiva.

Do ponto de vista afetivo temos os nossos desertos, as nossas desolações. As nossas cisões interiores, os nossos desejos desmedidos, as paixões que muitas vezes nos confrontam, e ficamos divididos entre aquilo que é prazer e dor e não conseguimos integrar essas duas realidades importantes de modo equilibrado. O retiro também ajuda a confrontar-se consigo, com os sentimentos, com a sexualidade e a buscar os pontos de maior atenção, bem como os pontos de equilíbrio.

Jesus passa pela profunda experiência da desolação no horto. Diz-nos o texto de Mc 14,33-36: "Tomou consigo Pedro, Tiago e João e começou a sentir medo e angústia. E lhes disse: 'minha alma está numa tristeza mortal. Ficai aqui e vigiai'. Indo um pouco mais longe, prostrou-se por terra e rezava para que, se fosse possível, essa hora passasse longe dele. Dizia: 'Abbá! Tudo vos é possível; afastai de mim este cálice. Mas não aconteça como eu quero, mas como vós quereis'".

O relato é rico em detalhes e capta a angústia profunda de Jesus, os seus medos e inquietações. Jesus vai à profundidade de sua alma, sente-se perturbado, e apresenta-se disponível para realizar a vontade do Pai.

Apesar de todo o drama, o evangelista mostra a ação orante de Jesus. Em Mc 14,32, diz a seus discípulos: "sentai-vos aqui, enquanto vou rezar". A comunidade discipular é incapaz de se manter vigilante com ele. Todos são tomados pelo sono, pelo marasmo, pela indiferença. Jesus pede: "vigiai e rezai para não cairdes em tentação (...) Afastou-se de novo e rezou, repetindo as mesmas palavras" (v. 38-39).

Jesus vive um confronto de projetos: o pessoal, o do mundo e o do Pai. Ele vive a experiência da obscuridade da alma, as tentações, a sensação de abandono. É nessa situação que terá que escolher e trata-se de uma escolha fundamental. Ele opta pelo projeto do Pai que abarca todos os demais.

O que Jesus experimentou é uma realidade humana. Ele fez uma catarse, confrontou-se consigo, com suas escuridões e com tudo aquilo que poderia desviá-lo da comunhão amorosa do Pai. Deus-Pai não intervém. É somente Jesus, e tão somente ele, que deve experimentar o confronto. Deus-Pai silencia-se e evidencia-se o grito salvífico de Jesus.

Muitas vezes, ao experimentarmos as desolações, temos o mesmo comportamento dos discípulos: não ser vigilantes. Isto é, abandonamos nossa fé, nossa esperança e a nossa caridade. Se, nos momentos de tribulação, forem desprezadas essas três virturdes teologais, não conseguiremos, no meio da angústia e da aridez, fazer a opção pelo projeto do Pai. Nossos olhos estarão sempre pesados como os dos discípulos.

Jesus encontra a sua comunidade dormindo, "porque seus olhos estavam pesados; e eles não souberam o que lhe responder" (v. 40). Se perdemos a fé, a esperança e a caridade seremos incapazes de responder à hora de Jesus.

Em outras palavras, os olhos pesados dos discípulos estão relacionados ao ver, ao conhecer. O "ver" biblicamente é muito mais profundo do que uma realidade óptica. Significa: ver, perceber, perceber por meio da vista, sentir, considerar, prestar atenção, olhar para, experimentar, conhecer alguém. Na mentalidade semita tem haver com a identidade, reconhecimento. Portanto, a desolação dos discípulos não permitiu que eles identificassem quem era, de fato, Jesus, apesar de estarem com ele.

A desolação é um momento de escuridão interior. O desejo de quem está no escuro é ver a luz. Em Jo 8,12, Jesus se proclama a luz: "eu sou a luz do mundo; quem me segue não caminhará nas trevas, mas terá a luz da vida". Em Jo 12,20ss encontramos um grupo de gregos (alguém de fora da comunidade de Jesus) que fazem um pedido a Felipe: "senhor, queremos ver Jesus". Em outras palavras, queremos conhecê-lo, queremos experimentar essa luz.

Se a desolação, no seu sentido originário, é não ter o chão sob os pés, é necessário ter a presença da luz para conhecermos onde pisamos e para encontrar as saídas desse momento. Ter a presença da luz do Cristo é estar iluminado, aquecido e protegido, revestido da fé, da esperança e da caridade.

Portanto, não significa na desolação não possamos fazer também uma profunda experiência de Deus. Quando experimentamos tais momentos, não devemos ter medo de nos perdermos no escuro. Basta que sejamos vigilantes e não durmamos. A desolação é possibilidade de amadurecimento da fé e de reconhecer Jesus nos itinerários escuros de nossa vida. E sempre possibilidade de dizer: "quero ver Jesus!"

6. A consolação: repousar nosso ser em Deus

Se em nosso caminho seguimos experimentando realidades profundas, superficiais, obscuras, conscientes, inconscientes, medos, dúvidas, certezas e silêncios e o que Deus nos fala, devemos compreender que esse percurso é para nos colocarmos em sintonia com o divino que nos abraça, nos provoca e nos faz irmos em sua busca. Nesta experiência de busca-encontro-realização, preenchimento de vazio interior, podemos dizer que ocorre a consolação.

Uma das orações muito conhecida, atribuída a São Francisco, diz: "Ó Mestre, fazei que eu procure mais consolar que ser consolado..." Em uma primeira leitura é fácil captar o sentido que aqui se apresenta. Pede-se para que tenhamos a capacidade de ajudar nosso semelhante nos momentos em que ele se encontre em aflição, sofrimento e dor. Indo um pouco além, significa dizer que damos suporte àquele(a) que vive um momento de intempérie na sua vida, quando essa pessoa está insegura, sem solo para calcar seus pés e retomar a sua caminhada. Aqui já emerge um sentido do que seja a consolação: ter o solo sob os pés (*cum solum* = com base, com alicerce, com chão). Como podemos entender a consolação na vida espiritual?

Em nossa caminhada de vida oracional é comum sermos pegos de surpresa por aqueles momentos de dúvidas, de questionamentos ou de desânimo. Talvez expressamos muito mais nossos desertos do que os momentos de consolações. A consolação, às vezes, passa despercebida, porque de certa forma estamos vivendo um "bem-estar espiritual" e preferimos saboreá-lo, e isso não nos incomoda ou porque não conseguimos nomear tal experiência. Essa percepção nasce da nossa observação pessoal, do modo como nos relacionamos com Deus, as imagens que temos Dele, como lidamos com elas e como nos entregamos a Ele. A consolação espiritual é resultante de sentirmos amados. Diz-nos o salmo 119(118),76: "que teu amor seja minha consolação, conforme tua promessa ao teu servo!"

Poderíamos dizer que a consolação está ligada à dimensão de nossas seguranças. Nenhum ser humano deseja ou gosta de viver inseguro. Portanto, esta experiência está relacionada com a nossa realidade antropológica, filosófica, existencial e se estende ao nível espiritual. Somos seres desejosos de experimentar o mistério, o transcendente e o buscamos. Temos saudade do divino! Não nos bastamos. Ou abraçamos o divino ou os ídolos e morremos com eles. Nos porões de nossas profundezas há sempre o desejo de ser consolado.

A consolação na vida espiritual é quando deixamos Deus tocar as nossas profundezas e esse toque afeta a nossa vida pessoal e provoca incidências em nossas ações cotidianas na convivialidade com os outros, no nosso modo de ser e de agir. Não é algo que experimentamos sozinhos. Para atingir a consolação é necessária nossa abertura a Deus. Ele é o nosso solo seguro. "O Senhor é o meu pastor, nada me falta" (Sl 23(22),1). Portanto, ela se dá em uma experiência relacional do humano com o divino e nos afeta comunitariamente. Se assim não o for, será mera experiência intimista.

Santo Agostinho nas Confissões afirma: "somente em ti posso reunir todos os pensamentos dispersos, e nada de mim se afasta de ti. E tu às vezes me introduzes num sentimento interior totalmente desconhecido, inexplicavelmente doce; tal sentimento, se atingisse dentro de mim a plenitude, tornar-se-ia algo certamente não pertencente a esta vida" (Confissões X,40,65). Desse texto de Agostinho, podemos constatar dois elementos: a consolação é a confluência da totalidade humana em Deus e lidamos com algo desconhecido e fascinante e, ainda, que a experimentamos profundamente e há sempre desejo, busca. E quando experimentamos o que buscamos, no cultivo espiritual – Deus – encontramos o que nos consola.

Muitas vezes, há o risco de permanecermos cômodos com o que experimentamos. Esta espera passiva não é evangélica. O texto das dez virgens prudentes e imprudentes (Mt 25,1-13) mostra bem essa realidade. O escrito é situado nos discursos escatológicos, refletindo sobre as coisas novas do Reino do Céu. Conta a parábola que metade das virgens eram imprudentes. Essas tiveram que sair para comprar azeite, pois não tinham reservas e, quando o noivo chegou, as portas foram fechadas e ficaram de fora. As prudentes consoladas e as demais desoladas.

Em termos espirituais, o que isto significa? Na vida espiritual sempre devemos ser prudentes, ter as nossas candeias acesas, ou seja, precisamos cuidar da nossa vida de intimidade com Deus por meio da nossa oração pessoal e comunitária, pela leitura e meditação das escrituras, pela participação na vida eclesial. Caso contrário, o noivo (= o Senhor) sempre nos encontrará dormindo e pior, no escuro. As virgens imprudentes foram privadas do encontro, da festa, da aliança e da luz. As prudentes seguiram as exigências necessárias para estarem presentes, participaram da festa e viram o noivo. O mesmo vale para a vida espiritual. Se não há certa ascese não se consegue ir ao longe, sobretudo nos momentos de desolação.

Assim, a consolação se manifesta neste encontro que temos com o Senhor. Não é algo mágico, mas a intensidade dessa experiência sempre nos dará novas luzes. Isto captou sabiamente Santo Agostinho: "tu o incitas [o homem] para que sinta prazer em louvar-te; fizeste-nos para ti, e inquieto está o nosso coração, enquanto não repousa em ti" (Confissões I,1,1). Consolação é estar com o nosso coração repousando em Deus, mesmo com os nossos medos, incertezas e dúvidas. É repousar nossa humanidade na divindade do Senhor.

7. Experimentar Deus em meio às muralhas de concreto

Se quisermos escutar a voz divina ressoar dentro de nosso coração precisamos de silêncio. Ele é fundamental para quem queira chegar às profundezas de si, uma vez que tem função catártica e de aproximação do mistério. Todavia, é importante ressaltar que é possível experimentar Deus no rumor da cidade, lugar onde vive a maioria das pessoas atualmente. É possível fazê-lo neste lugar tão complexo?

No passado, os chamados monges do deserto fugiam para lugares ermos, desérticos, para fazerem a experiência de Deus. Essa fuga era denominada *fuga mundi* (fuga do mundo). Eles saíam, sobretudo das cidades, porque segun-

V. A experiência de Deus: *tremendum et fascinans*

do a mentalidade deles ali era o lugar da perversão, das pestes, da profanação e onde ocorriam todos os tipos de males. Este êxodo era a busca de uma experiência de segurança. O deserto era o lugar onde se evidenciavam as tentações e também lugar do combate espiritual. Não havia outras interfaces provocadoras de fragmentação interior. Havia confronto face a face do eu interior com os "demônios".

Na linguagem dos monges do deserto, o demônio era todas as forças que dividiam e fragmentavam o ser humano. Podemos dizer, hoje, com uma linguagem mais apurada que eram todas as pulsões que tiram o ser humano da sua centralidade. Tais forças, segundo eles, eram diabólicas (aquilo que provoca divisão). Desse modo, o lugar de referência para se confrontar e experimentar Deus era a natureza, pois ela falava diretamente de Deus, colocando o homem numa atitude contemplativa da grandiosidade e das maravilhas de Deus.

Com o processo evolutivo do ser humano, o próprio homem foi transformando a natureza e sendo também um criador e faz a sua obra, a cidade, lugar complexo com as diferentes facetas e experiências humanas. O silêncio dá lugar a roncos de motores, o verde a blocos de concretos, o sol, a luz e as estrelas à luz artificial e assim se fez um outro dia... o novo dia que não era mais o da brisa suave e nem do canto dos pássaros. A brisa deu lugar à fumaça e o canto dos pássaros ao rumor violento e estressante.

A verdade é que hoje o silêncio é um desafio e as pessoas muitas vezes não o suportam. Por detrás do medo do silêncio, está o medo do confronto consigo mesmo. No entanto, não se pode esquecer que é possível captar Deus em meio ao barulho e à poluição dos grandes centros. Deus também ali está. É possível fazer uma experiência de profundo silêncio interior e de comunhão com Deus, deixando de fora os barulhos externos, mesmo estando em uma metrópole. E, ao mesmo tempo, pode ser impossível a mesma realidade, estando em um paraíso natural sem o mínimo de barulho interior, e ser ali o lugar da dispersão. Tudo depende de nossa interioridade.

Neste sentido, aqueles que estão à frente das comunidades cristãs devem encorajar os fiéis a serem audazes e a se lançarem nesta árdua, e não impossível, missão de experimentar Deus na vivência cotidiana na cidade. Isto é importante, porque muitas vezes o homem e a mulher dos grandes centros sentem-se confinados e acuados do ponto de vista espiritual e parecem não sentir que podem ter vida de oração intensa e de comunhão com Deus, sem se retirar a lugares ermos. Por isso, os padres e madres espirituais de hoje também insistem sobre a importância do silêncio.

Cada pessoa deve descobrir o seu espaço de silêncio e o método pessoal de encontro com Deus, por meio da oração. Uma coisa é certa: não se consegue nada se não há disponibilidade interior, vontade, disciplina e exercícios. É assim, em tudo que buscamos fazer. Trata-se de um exercício exigente, de criar momentos interiores, especialmente nos locais onde o barulho é mais acentuado. Este exercício, além ter a sua dimensão espiritual, busca recompor as próprias forças interiores e combater até o próprio *stress*. Ele é importante para a nossa própria harmonização. O nosso ser precisa de momentos de interiorização. Senão, ficamos saturados, estressados e fragmentados.

Em 1Rs 19,9-12, temos o relato do encontro de Elias com Deus. Há uma série de sinais: um furacão, um terremoto, um fogo e Deus não estava em nenhum desses lugares e sim na brisa, isto é, em ambiente tranquilo. Hoje, nosso desafio certamente será o contrário, experimentar uma teofania em todo o barulho que a cidade proporciona. Se no passado, buscava-se o grande deserto, hoje a cidade é o novo deserto, e deve ser nesse lugar que encontraremos a nossa sarça ardente (Êx 3,1-6). Caso contrário, sempre encontraremos a desculpa que o lugar onde vivemos não é adequado para este encontro com Deus. Realmente pode não ser, mas devemos começar a criar estes pequenos oásis dentro de nossos edifícios, dentro dos trens suburbanos, em nosso trabalho... Deus se manifesta ali e com certeza nosso coração irá arder, à medida que nos esforçamos para isso.

Buscar o lugar de encontro pessoal com Deus no novo deserto – a cidade – cotidianamente é colocar-se na atitude de humildade e de obediência à voz de Quem nos amou primeiro e nos dá a força para superar aquilo que nos fragmenta interiormente.

VI

O ENCONTRO QUE FAZ O CORAÇÃO ARDER

Neste capítulo daremos mais um passo em nosso itinerário espiritual e tomaremos contato com um dos textos bíblicos de uma beleza indescritível, os discípulos de Emaús (Lc 24,13-35). Para melhor compreensão, dividiremos a perícope em alguns blocos importantes: a narrativa do escandaloso acontecimento: a morte de Jesus (13-24); a intervenção de Jesus e o diálogo do Mestre: (25-27); o reconhecimento: partir do pão, Escrituras e a comunidade (28-32), núcleos da fé cristã; e a volta para Jerusalém (33-35).

1. A narrativa do escandaloso acontecimento: a morte de Jesus

Esse texto lucano encontra-se na sessão que diz respeito ao evento pós-ressurreição. O evangelho menciona a vila de Emaús, entretanto, não há consenso se esse povoado realmente existiu[1]. Para além de um lugar físico, pode-

---

[1] Nenhum outro texto dos Evangelhos menciona este lugar, a não ser Mc 16,12-13: *"Depois disse, ele se manifestou de outra forma a dois deles, enquanto caminhavam para o campo. Eles foram anunciar aos restantes, mas nem nestes creram"*. Fala-se de um campo e não de uma vila!

mos pensar em um lugar teológico, onde se dá o conflito entre a morte das esperanças e a compreensão do mistério pascal de Jesus pela comunidade. Não é à toa que o texto se dá ao longo do caminho, é nele que os discípulos vão recordando os últimos acontecimentos tristes e são interpelados pelo próprio Jesus. Ao longo da caminhada encontram o Caminho...[2]

Os dois discípulos revivem o trágico e escandaloso acontecimento, a morte de Jesus. Essa terrível morte, pela cruz[3], era um castigo infame aplicado a rebeldes políticos e escravos que, após serem torturados, deveriam carregar o próprio instrumento de tortura e depois, no local da crucifixão, eram desnudados, pregados na cruz, ficando de dois a três metros de altura e por dias pregados até sucumbirem

---

[2] Esta expressão, o Caminho, era usada pelos cristãos primitivos para se referir a Jesus. Eles eram seguidores do Caminho. "Entretanto Saulo, ainda respirando ameaças e mortes contra os discípulos do Senhor, apresentou-se ao sumo sacerdote e pediu-lhe cartas para as sinagogas de Damasco, a fim de que, se encontrasse adeptos do Caminho, homens ou mulheres, ele os levasse presos para Jerusalém" (At 9,1-2); Paulo foi à sinagoga e lá, durante três meses, falou com ousadia, discutindo e procurando persuadir seus ouvintes acerca do Reino de Deus. Alguns, no entanto, empedernidos e incrédulos, difamavam o Caminho diante da assistência. Rompeu então com eles e tomou à parte os discípulos que ensinava todos os dias na escola de um tal Tiranos" [...] Por essa época, houve um tumulto bastante grave a propósito do Caminho" (At 19,8-9.23); "Persegui até a morte este Caminho, acorrentando e lançando na prisão homens e mulheres, como podem testemunhar o sumo sacerdote e todo o Colégio dos anciãos" (At 22,4s).

[3] A crucifixão foi uma forma de pena oriental introduzida no Ocidente pelos persas. Os gregos quase não se valeram desse instrumento penal, mas foi muito utilizada pelos cartagineses e romanos. Na literatura romana a crucifixão é descrita como punição cruel e temida, não sendo aplicada aos cidadãos romanos, mas apenas aos escravos e aos não romanos que houvessem cometido crimes atrozes, como assassinato, furtos graves, traição e rebelião. Era considerada horrenda e tão desumana que Cícero, em 63 a.C., disse que o próprio nome da cruz deveria ser banido do corpo e da vida das cidades romanas, dos seus pensamentos, olhos e ouvidos. A prática romana consistia em colocar seus inimigos no paredão e os condenados eram obrigados a carregar o instrumento de sua própria morte. Colocava-se uma tabuinha pendurada no pescoço do condenado dizendo o motivo de sua condenação.

às próprias dores.[4] Todo o ocorrido coloca os discípulos numa situação dramática, de medo e fazendo esfacelar a comunidade dos que estavam ao redor de Jesus, frustrando suas esperanças e destruindo sua fé primeira. Lucas coloca na boca dos discípulos a resposta à interpelação do desconhecido forasteiro que caminha com eles.

> "Que foi?", perguntou ele [Jesus]. Disseram-lhe: "O que aconteceu a Jesus, o Nazareno, que era um profeta poderoso em obras e em palavras diante de Deus e de todo o povo. Nossos sumos sacerdotes e nossos chefes o entregaram para ser condenado à morte e o crucificaram. Nós esperávamos que fosse ele o que haveria de libertar Israel; mas, além de tudo isso, já faz três dias que estas coisas aconteceram. Verdade é que algumas mulheres de nosso grupo nos deixaram espantados: foram ao sepulcro, de madrugada, e não acharam seu corpo. Voltaram dizendo que lhes apareceram anjos, os quais afirmaram que ele está vivo (v. 19-23).

Partindo de um enfoque psicológico observa-se nas entrelinhas a tristeza, o abalo e a crise que a comunidade cristã estava atravessando. Assim, a caminhada dos discípulos de Emaús (Lc 24,21)[5], a fuga dos discípulos (Mc 14,50)[6] e o medo dos judeus (Jo 20,19)[7] retratam a decepção que

---
[4] BOFF, Leonardo. *Paixão de Cristo – paixão do mundo*. Petrópolis: Vozes, 2003, p. 57. ZIAS, Joe. *Crucifixion in Antiquity*. Disponível em: www.kotiposti.net/raamattu/jt/oppi/risti/doc/www.centuryone.org--zias-joseph--crucifision--in-antiquity.pdf. Acesso em 101.10.2017. O autor faz um breve estudo sobre a crucifixão na antiguidade mostrando a sua origem, as evidências arqueológicas, as reações psicológicas e a morte dos crucificados.
[5] *"Nós esperávamos que fosse ele quem iria redimir Israel; mas, com tudo isso, faz três dias que essas coisas aconteceram!"*
[6] *"Então, abandonando-o, fugiram todos."*
[7] *"À tarde desse mesmo dia, o primeiro da semana, estando fechadas as portas onde se achavam os discípulos, por medo dos judeus..."*

tiveram frente àquilo que esperavam de Jesus[8]. Aquele em quem acreditavam estava, agora, crucificado, pena máxima aos que se sublevavam contra o Império ou eram marginais. Haviam morrido, com Ele, de acordo com a mentalidade dos seus seguidores, todos os projetos de libertação de Israel, pois acreditavam em um messias diferente daquele declarado por Jesus. Diante de tal acontecimento atroz, perguntavam-se como alguém que gerou tanta vida ao redor de si e transmitiu-a às pessoas, poderia morrer miserável e escandalosamente.

Com a morte de Jesus morria com a comunidade discipular o desejo de saber quem seria o maior e o menor, quem sentaria a sua direita e a sua esquerda[9]. A crise da morte de Jesus arrebenta com os seus projetos pessoais, fundados em interesses medíocres e os faz crescer, à medida que são obrigados a rever seus caminhos e o itinerário da própria fé. Eles reaprendem a ser discípulos no caminho! A escandalosa morte provoca-os a continuarem a caminhar mesmo sem terem muitas respostas.

Na narrativa dos dois discípulos de Emaús apenas um é nomeado, Cleofas. Sobre o outro nada sabemos. Esse silêncio do texto é importante, porque aquele discípulo representa todos nós, comunidade cristã que perfaz o caminho com suas dúvidas, inquietudes, desconhecimentos, mas é capaz de encontrar e reconhecer o Mestre quando ele faz as memórias da paixão, morte e ressurreição.

---

[8] BOFF, Leonardo. *Paixão de Cristo – paixão do mundo*, p. 89.
[9] *"Tiago e João, os filhos de Zebedeu, foram até ele e disseram-lhe: 'Mestre, queremos que nos faças o que vamos te pedir'. Ele perguntou: 'Que quereis que vos faça?' Disseram: 'Concede-nos, na tua glória, sentarmo-nos um à tua direita, outro à tua esquerda'"* (Mc 10,35-37; Mt 20,20-23 = aqui a mãe dos filhos de Zebedeu intervém!).

2. A intervenção de Jesus e o diálogo do Mestre

Após o diálogo sobre os últimos acontecimentos, os discípulos são interpelados pelo Mestre duramente: *Insensatos e lentos de coração para crer tudo o que os profetas anunciaram!* (Jesus parece dizer: tolos de coração, duros para compreenderem as coisas da fé!) A chamada de atenção é porque ainda não haviam assimilado em suas consciências o que de fato fora a vida de Jesus.

O coração (*leb*)[10] é a palavra de grande importância que define o homem bíblico. O coração é um órgão sujeito às oscilações (Jr 4,19), à doença (Is 1,5), à morte. É o órgão do sentimento, da alegria, do pesar, da tristeza ou do descontentamento (1Sm 1,8), da coragem e do medo, é o órgão do desejo (Is 9,8). Em Provérbios 8,5 o coração é definido como o instrumento do conhecimento e é por ele que se chega à compreensão das coisas. Um coração endurecido se recusa a compreender (Is 6,10), porque é por ele que se torna atento e escuta a palavra proferida. É pelo coração que Iahweh falou a Israel (Os 2,16) e, por isso, ele é comparado ao ouvido (Pr 29,3). Ser sem coração é tornar-se incapaz de escutar, de compreender (Os 4,11). O coração guarda a lembrança que o Senhor disse a Israel (Dt 6,6). É o lugar em que se faz a reflexão (1Sm 9,20). O coração é o centro da tomada de decisões e é dele que brota a intenção (2Sm 7,3), como obediência (1Rs 8,61), e a conversão passa por ele (Ez 11,19).

O coração[11] designa a totalidade do homem em contraste com o exterior da pessoa. Para os egípcios o coração era o centro de todos os movimentos espirituais. Era a sede da razão, da vontade, do sentimento e o símbolo da vida. Sem esse

---

[10] BOFF, Leonardo. *Paixão de Cristo – paixão do mundo*, p. 152.
[11] LURKER, Manfredo. *Dicionário de figuras e símbolos bíblicos*, São Paulo: Paulus, 1993, p. 67.

órgão não se podia pensar em sobrevivência após a morte. Era o único órgão que não podia ser retirado do corpo humano, nas antigas técnicas de embalsamento. Ele representa o verdadeiro ser do homem, que não está na beleza, mas no seu interior (1Sm 16,7). Assim como os rins representam a imagem do homem interior, o coração também o é (Jr 11,20). A atitude de coração marca o homem interior. Em Êx 7,23 refere-se ao coração do faraó que teve o coração endurecido por Deus, que também endureceu o coração (Êx 9,12). Mesmo infiel o homem é capaz de amar a Deus de todo o coração, com toda a sua alma e com todas as suas forças (Dt 6,5).

Jesus convida a comunidade a deixar de lado o coração endurecido, marcado pela esclerocardia, e recordar – *re cordis* (deixar passar pelo coração) toda a Escritura. Frente ao apelo do Mestre, podemos nos perguntar como se encontra a nossa caminhada e se o nosso coração também não se encontra lento para crer, principalmente diante das dificuldades da nossa vida. O desafio que os discípulos tiveram foi ressignificar a história de si mesmos, a partir da morte de Jesus, e depois compreenderem, de fato, o real significado da ressurreição. Na vida cristã, precisamos reler todas as Escrituras começando de Moisés, aquele que libertou o povo da escravidão e os Profetas, que denunciaram injustiças e anunciaram a boa-nova, a realização da vida em plenitude para ressignificar a própria caminhada.

3. Reconhecimento: Escrituras, a comunidade e partir o Pão – núcleos da fé cristã

Permanece conosco, Senhor, pois cai a tarde e o dia já declina. Entrou então para ficar com eles (v. 29). Os discípulos entristecidos chegam à encruzilhada e têm que fazer uma opção fundamental: ou convidam-no ou deixam-no continuar a sua estrada. Deixá-lo passar era permanecer na escuridão, nas trevas.[12] Ali reunidos, em comunidade, voltam à Escritura que lhes recorda a ação majestosa e complexa que Deus realizou na história humana, através do nascimento, da morte e da ressurreição de Jesus. O filho de Deus não foi a-histórico, revelou-se no tempo e na cultura, com todas as suas vicissitudes históricas.

Os discípulos de Emaús reconhecem Jesus no ato de partilhar o pão. Ele se pôs à mesa com os discípulos, na comunidade, lugar da relação, tomou o pão, abençoou, depois partiu-o e distribuiu-o. Foi no encontro relacional que os olhos dos discípulos se abriram para compreenderem o significado daquela realidade. Após enxergarem a nova realidade, Jesus invisível diante deles (v. 30s), não precisam mais de uma suposta presença física. A comunidade foi capaz de romper com a escuridão, com todos os medos e reconhecer Jesus. No partir do pão os discípulos renunciaram as suas visões distorcidas do projeto de Jesus. Aprendem do Mestre o Lava-pés (cf. Jo 13,1-17). É da releitura que fazem de toda a caminhada da história de libertação e de salvação, começando por Moisés e pelos Profetas, que entendem o ensinamento de Jesus, a sua Ressurreição, e libertam-se de suas amarras interiores.

Na Páscoa da Comunidade, ao celebrarem juntos, depois de caminharem ao lado do Mestre, testemunham a revelação de Jesus e professam que Jesus está mais vivo do que nunca. Creem que essa morte não foi em vão, caracteriza-se como um novo sopro vital. Ressignificam a morte de Jesus e aquilo que parecia ser o abandono de Deus não o foi, pois a ressurreição era a prova de que Deus Pai estava com o seu Filho Jesus. Ele era justo e fora elevado à direita do Pai, entronizado no Reino e na glória de Deus que

---

[12] As expressões tarde e o dia já declina (= noite) significam aproximação do horário das trevas. Esse tema tem muito mais acuidade em João do que em Lucas.

o justificou e deu razão a sua mensagem[13]. Não obstante, o mundo não o entendeu, de tal maneira que foi condenado e morto e morreu como um blasfemo, alguém que compreendeu e falou erroneamente de Deus, conforme as autoridades religiosas de seu tempo. Contudo, Deus-Pai se lembrou Dele e deu-Lhe o máximo de vida, de modo que coloca o mundo em julgamento. Desse modo, a ressurreição torna o mundo recriado e vivificado, em Jesus, pelo Espírito Santo, o "Paráclito"[14]. Nela, acontece uma nova obra de Deus e um novo jeito de ver Jesus. É a última palavra de Deus sobre a morte. Renasce na comunidade cristã a esperança e eles não têm mais medo e começam a pregar de uma nova maneira aquilo que haviam experimentado junto com Jesus[15].

Os discípulos sentem a força do Espírito Santo e começam a refazer o caminho de Jerusalém à Galileia, onde Jesus iniciou sua missão, e a reinterpretarem sob um outro prisma, bem como perceberem a maneira como Jesus conduziu a própria vida[16]. Releem a vida histórica de Jesus e percebem que Ele transformou a vida das pessoas. Agora, o Cristo pascal se revela para eles na itinerância da fé e, paulatinamente, vai sendo compreendido à luz da vida que desceu à mansão dos mortos. Eles afirmam que Ele é o Filho de Deus e asseveram que este mundo fora criado de uma outra forma por Deus, em Jesus. Assim, a ressurreição compromete a comunidade discipular e ela renasce para uma vida nova e isto requer dela a maximização da fé-esperança e um olhar prospectivo, de tal modo que eles

---

[13] Cf. BOFF, Leonardo. *Paixão de Cristo – paixão do mundo*, p. 89; HAIGHT, Roger. *Jesus: o símbolo de Deus*. Trad.: Jonas Pereira dos Santos. São Paulo: Paulinas, 2003, p. 153.
[14] Cf. MOLTMANN, Jürgen. *A Fonte da Vida: o Espírito Santo e a teologia da vida*. Trad.: Werner Fuchs. São Paulo: Loyola, 2002, p. 25.
[15] Cf. MOLTMANN, Jürgen. *A fonte da Vida*, p. 24.
[16] HAIGHT, Roger. *Jesus: o símbolo de Deus*, p. 176.

começam a falar de diferentes modos sobre Jesus, tendo como núcleo o evento pascal.

Compreender a Ressurreição nunca foi um processo fácil, não o foi para os discípulos, para os cristãos primitivos nem para nós, que somos seus discípulos, pois exige perder as escamas das vistas (v. 16) e ter atitude de fé com todos os riscos que essa adesão implica.

Muitos cristãos vivem nos dias atuais como os discípulos de Emaús. Estão desesperançados, frustrados com a sociedade, com o mundo e com a estrutura da própria Igreja, mas continuam a caminho. Muitos reclamam e têm pouco desejo de saírem de si e superarem o marasmo em que vivem. Há aqueles com rostos sombrios, numa crise de identidade, que preferem ficar na nostalgia do sepulcro e não percorrem o caminho para compreenderem a ressurreição. A vida cristã, se desprezar a fé pascal, deixa de ser sinal profético: ser fermento, sal e luz do mundo (Mt 5,13-16; Mt 13,33). Deste modo, é preciso perguntar, como estamos fazendo o caminho, não mais o caminho de Emaús, mas nosso caminho?, pessoal, porque ele nos levará ao encontro com o Senhor. Hoje, os cristãos devem entristecer-se sim, como os discípulos de Emaús, não pela ausência do Mestre, mas pela indiferença que a cada dia começa a entrar no seio das próprias comunidades cristãs. Precisamos recordar sempre o pedido da comunidade primitiva: fica conosco, Senhor!

4. A volta para Jerusalém

A perícope apresenta-nos, após o reconhecimento, um movimento: *levantaram*-se e *voltaram* para Jerusalém. Acharam os onze reunidos e disseram que o Senhor havia ressuscitado e aparecido a Simão (v. 34). Por que voltam a Jerusalém? No início, o texto afirma que estavam a sessenta estádios[17] de Jerusalém, mantinham certa distância... Voltar a Jerusalém significa superar a fé primeira, ingênua, e recuperar todas as esperanças perdidas, superar os medos, ir ao centro do poder opressor e reafirmar que a vida venceu a morte e reafirmar a fé na ressurreição. Jerusalém matou os profetas e Jesus. Os discípulos ganham coragem de ir ao centro do poder da morte e com a força da comunidade, das Escrituras e da Eucaristia saem anunciando às nações, porque estão repletos e plenos do Espírito Santo (At 2,1-14).

É em Jerusalém que Pedro, em nome da comunidade proclama o kerigma pascal:

> Homens de Israel, ouvi estas palavras: Jesus de Nazaré foi por Deus credenciado junto de vós, por meio de milagres, prodígios e sinais, que Deus realizou entre vós por meio dele, como bem sabeis. Este homem, que tinha sido entregue segundo o desígnio preestabelecido e a presciência de Deus, vós o prendestes e o matastes, pregando-o na cruz por mãos de gente má. Mas Deus o ressuscitou, libertando-o das angústias da morte, pois não era possível que ele ficasse detido sob seu poder (At 2,22-24).

Assim como Pedro, devemos proclamar esse anúncio e percorrer o caminho até as "Jerusaléns" de hoje, sem medo, pois o ressuscitado caminha conosco. Se cada um de nós fizermos a experiência pascal dos discípulos de Emaús, seremos sinais da sua presença transformadora de vida. Entretanto, se o medo for maior do que a graça da ressurreição e o nosso rosto for sombrio, continuaremos a caminhar

---

[17] Um estádio corresponde a 185 m, portanto, estavam pouco mais de 11 km de Jerusalém.

com ele na incredulidade e nem permitiremos que ele nos chame à realidade: *insensatos e lentos de coração para crer tudo o que os profetas e eu, o Mestre, vos anunciei.*

A estrada que os discípulos percorreram foi de profunda transformação. Refletindo sobre a vida cristã e sobre o seguimento de Jesus, à luz deste texto, observa-se que ela passa por mudanças qualitativas e significativas. E cada pessoa crente percorre um caminho, resta perceber como se pode encontrar o Mestre ou se ele nem sequer foi convidado para habitar a casa. Como o nosso coração arde no contato com as Escrituras, com a comunidade e com o partir do Pão, a Eucaristia?

Os cristãos são interpelados a serem a novidade que surge na Igreja. Abandonar o barco é optar pelo caminho mais curto e nem sempre o mais correto. Ainda que constatemos inúmeras contradições no modo de viver cristão, elas não superam o testemunho e o desejo de seguir Jesus e o de trabalhar por um mundo mais digno. As comunidades cristãs, a Igreja, estão cheias de pessoas, homens e mulheres que descobriram Jesus no caminho e, na comunidade, e ao provarem do Pão da Vida, dão um sentido humano-teológico a sua vida, a ponto de entregá-la, perdendo seu próprio sangue (martírio) ou como velas em chamas.

VII
CELEBRAR OS MISTÉRIOS DIVINOS NA ITINERÂNCIA DO TEMPO

A NOSSA VIDA é marcada pela temporalidade. E, assim, passamos nosso itinerário pelos dias, fazendo de nossa história passado, presente e sempre na esperança de um futuro. Somos peregrinos no tempo, na esperança cristã da eternidade... Assim, toda a nossa epopeia existencial se transcorre nessa contigência tempo-espaço. Situados neles que nascemos, crescemos, vivemos e morremos. Neles celebramos os diversos acontecimentos da vida e da fé que professamos que se manifesta em uma comunidade e em um tempo, com sua dinâmica cronológica e de kairicidade. Neste sentido, a dimensão que melhor exprime essa realidade é o tempo litúrgico com suas diferentes celebrações, possibilitandos-nos celebrar os mistérios divinos em nossa itinerância no tempo e enriquecermos a nossa caminhada espiritual.

1. O descanso:
tempo para o Senhor, para si e para o próximo

Para executarmos o nosso itinerário interior são necessários perseverança, disciplina e tempo. Gostaria de dedicar algumas linhas a esta categoria muito importante na vida humana, o tempo, e também ao descanso. Na era contemporânea sempre escutamos o mesmo refrão: não tenho tempo, tempo é dinheiro, o tempo parece estar mais curto, queria que o dia tivesse 48 horas, etc. O que ocorre para nos vir esse sentimento de que estamos sempre correndo contra o relógio? Será que gastamos o tempo com coisas essenciais? Ou será que nos ocupamos com tantas coisas e, ao fim, não priorizamos aqueles eventos que são qualitativos a nossa vida.

É bem verdade que a noção espaço-tempo na pós-modernidade mudou. Não significa que nem o tempo e as distâncias encolheram, mas a percepção de falta de tempo se dá pelo fato do acúmulo de atividades a que somos submetidos cotidianamente: trabalhos, estudos, viagens e tantos outros compromissos; pelo progresso dos meios de comunicação e difusão das informações, aliado à simultaneidade dos eventos; pela evolução dos meios de transporte cada vez mais rápidos, dando-nos a impressão de que as distâncias estão cada vez mais curtas e o mundo cada vez menor. Um acontecimento do outro lado do planeta é visto em tempo real. Toda essa façanha é possível graças à inteligência humana e ao progresso tecnológico, que oferece grande serviço à humanidade.

Neste contexto impressiona o ritmo frenético no qual a sociedade está imbuída e no qual cada vez mais o homem e a mulher hodiernos têm se tornado prisioneiros, respondendo não só às exigências pessoais referentes às interpelações próprias da vida, mas também do próprio capitalismo, que incute nas pessoas que tempo é dinheiro e para isso a pessoa deve-se reificar tornando-se uma máquina. Desse modo, vamos nos tornando cada vez mais pragmáticos, ao ponto de não deixarmos um tempo livre para que possamos respirar e reelaborar nossas questões interiores. Quando tiramos um tempo para visitar uma pessoa, para um lazer, para estar com amigos, para cultivar um jardim ou participar das celebrações religiosas em nossa comunidade, quase incorremos em um complexo de culpa, porque aquele tempo computado poderia se transformar em trabalho ou dinheiro. Assim, começamos a nos impregnar da cultura da utilidade em sentido negativo, que começa a desprezar os eventos da vida que não são mensuráveis pelas cifras, mas permitem ganhos sociais: melhores relações humanas, fraternidade, maior capacidade de solidariedade, melhora da noção de bem comum. Tudo isso se dá quando damos tempo às nossas questões existenciais e buscamos resolvê-las no encontro com os outros.

Encontrar um tempo para o encontro com nós mesmos e com o outro, com o seu mistério, garante-nos melhor qualidade de vida! É compreensível que hoje as pessoas, devido às condições precárias de vida, devam trabalhar tanto, no entanto quem não deixa um tempo mínimo para si não pode suportar a dura realidade com a qual se deve confrontar todos os dias. O contrário também é verdade, existe aqueles que ocupam todo o tempo para não se encontrarem consigo e muito menos com o outro. Certamente este artifício vale até certo tempo, mas quando a vida vai avançando em seu percurso, as máscaras interiores vão caindo e a dor das feridas não resolvidas do passado aparecem muito mais dolorosas e muito mais difíceis de cicatrizarem. Por isso, dar um tempo para si é importante, pois nesse caso o tempo é medicinal, terapêutico. É ter uma válvula de escape, um tempo de regeneração para se recompor dos desgastes que o cotidiano provoca em cada ser humano.

No que diz respeito ao cultivo da espiritualidade pessoal o tempo é algo importante. É possível otimizá-lo, mesmo se ele é quase escasso. Neste caso a pessoa pode criar pequenos mantras, refrãos sálmicos, litanias que em determinado momento do dia podem fazer com que se eleve o pensamento a Deus, Criador de todas as coisas. No dia em que se consegue uma folga, reservar um tempo maior para esse momento de intimidade consigo e com Deus. Daí a importância de guardar o domingo ou o dia que lhe é correlato, por causa das exigências, na maioria das vezes, colocadas pelo mundo do trabalho. Guardar o domingo proposto pela Igreja, além do princípio religioso, o dia da Ressurreição do Senhor, que dá lugar ao antigo sábado judaico (shabat), é momento de encontro da família para diálogo, lazer e oração. É uma forma, também garantida civilmente, de recuperar as energias tanto físicas quanto espirituais. O ser humano precisa desse tempo precioso! "O repouso é coisa 'sagrada', constituindo a condição necessária para o homem se subtrair ao ciclo, por vezes excessivamente absorvente, dos afazeres terrenos e retomar consciência de que tudo é obra de Deus. O poder sobre a criação, que Deus concede ao homem, é tão prodigioso que este corre o risco de esquecer-se que Deus é o Criador, de quem tudo depende. Este reconhecimento é ainda mais urgente na nossa época, porque a ciência e a técnica aumentaram incrivelmente o poder que o homem exerce através do seu trabalho.[1]"

O bem-estar material é muitíssimo importante e para isso se gasta o tempo, e muitas vezes, gastar o tempo com algumas horas de conversa com a família, em escutar o outro que passa por tribulações, celebrar a vida com os amigos transformam a vida e trazem o prazer que não sabemos mensurar, porque se encontra no plano da gratuidade. Por isso, é importante equilibrar melhor o tempo entre os espaços de intensas atividades de trabalho e aqueles para cultivar a humanidade, os relacionamentos e a espiritualidade.

A otimização do nosso tempo é fundamental para melhor harmonizarmos nosso ser: corpo, mente, intimidade e

---

[1] JOAO PAULO II. Carta Apostólica *Dies Domini*: sobre a santificação do domingo, n. 65.

espiritualidade. É interessante notar como a Igreja em suas liturgias utiliza-se das categorias tempo-espaço. O tempo cronológico se transforma em dimensão kairológica e o espaço mensurável em realidade soteriológica. Assim, nesse percurso de peregrinação interior, é fundamental recordar a importância dessas duas categorias que afetam a nossa vida terrena. O bom uso do tempo é um *kairós* (tempo da graça) que nos conduz como seres abertos ao transcendente (ao tempo salvífico de Deus). Basta termos ousadia e perseverança!

2. O ano litúrgico e seus tempos

Se o tempo é imprescindível ao ser humano e à vida espiritual, é fundamental agora, depois desse percurso, conhecer alguns tempos mais intensos da vida eclesial para que possamos celebrar o que vivenciamos pessoal e comunitariamente. Por isso, inicio com uma questão: Você certamente já ouviu falar em ano litúrgico e ano civil. Qual a diferença de um e de outro? O ano litúrgico é o período e a forma que a Igreja tem de intensificar a vivência do mistério pascal de Cristo. Para isso, é divido em ciclos ou tempos do Advento, do Natal, da Quaresma, Pascal e Comum.

O ano litúrgico inicia-se após a festa de Cristo-Rei do Universo, no primeiro domingo do Advento e finaliza com a festa de Cristo-Rei do ano vindouro, diferentemente do ano civil que se inicia no dia 1º de janeiro de cada ano. Outra diferença é que o ano litúrgico, embora tenha a sua dimensão cronológica (tempo marcado pelo calendário, pelo relógio), é kairológico (*kairós* = tempo da graça, tempo da bênção), para santificar os dias. Portanto, é desse modo que a Igreja organiza o seu tempo para realçar os mistérios da vida de Cristo e favorecer aos fiéis e ajudá-los a amadurecerem na fé, na esperança e na caridade e, consequentemente, na vida espiritual.

Para a vivência da fé e da espiritualidade a partir do Ano Litúrgico, há quatro elementos fundamentais para densificar a vida espiritual. Sem eles a vida espiritual fica superficial. São eles: a *Eucaristia*, o núcleo central da vida cristã que nos convida a vivenciar o mistério pascal de Cristo e a fortalecer a nossa ação no mundo. Formamos um só corpo no Corpo de Cristo, Cabeça da Igreja, que nos projeta para esta ação testemunhal Dele na história; as *Sagradas Escrituras* que mostram a ação do Deus criador do Universo, libertador da História, do Mundo e do Ser Humano, até a loucura desse amor em Jesus de Nazaré, que deu a sua vida ao mundo. Além da Liturgia da Palavra na Eucaristia, a Igreja também oferece aos cristãos a Liturgia das Horas, que tem como objetivo louvar, agradecer e santificar o tempo. O tempo que pertence a Deus, dado aos seres humanos viverem, também é o tempo de louvar pelas maravilhas que Deus opera no mundo; a *Comunidade* é o local da expressão celebrativa do amor de Deus na vida das pessoas e da partilha dos dons, da doação de si ao outro, por meio da acolhida, do sorriso, da amizade, da oração, da solidariedade e da compaixão. É a comunidade humana que se une à comunidade trinitária: Pai, Filho e Espírito Santo. Uma espiritualidade que não tem sua dimensão comunitária é frágil, pobre e logo fracassará. E por fim, a *oração pessoal*. É valioso que a oração pessoal acompanhe aquilo que a Igreja celebra. Muitas não consideram a importância da oração pessoal, mas ela é como a água que cai gota a gota com nutrientes nos pés de uma planta, nutrindo-a. Ela constitui um método (caminho) de oração, baseado na Fé-Vida, em comunhão com a comunidade eclesial.

Esses quatro pilares abrem mais uma trilha para a nossa peregrinação espiritual. Todos os cristãos com muita criatividade podem utilizar esses instrumentais que a Igreja dispõe e que favorecem a vida espiritual. Não se pode esquecer de que há um enfoque litúrgico, mas ele o é para que cada fiel intensifique a sua vida espiritual inserida no mundo. Assim, "a espiritualidade ou seja a vida que o Espírito implanta na escuta da Palavra, na construção da comunidade, na Fração do Pão, é a vida dos seguidores de Cristo. Portanto, Cristo é o centro de toda espiritualidade. E é para alimentá-la que ele se encontra no centro da Liturgia" (§158, Doc. 43 da CNBB).

Esses quatro pilares se fazem presentes nos tempos litúrgicos e trazem a recordação memorial da História da Salvação à comunidade cristã. Assim, cada tempo realça uma interface dessa História que a Igreja celebra.

O *Advento* recorda-nos a vinda de Jesus no tempo e na história humana para realizar a salvação. Não se trata de uma espera agônica, e sim da alegria em preparar o coração, mantendo-o vigilante na fé, convertendo-o ao amor e à justiça do Reino. É tempo de acolhida, de alegria, da redenção de esperar o Deus que salva a humanidade. Tudo isso constrói um caminho espiritual profundo, pois se trata de fazer como João Batista: aplainar o caminho do Senhor (cf. Lc 3,4) e fazer do coração humano a grande gruta de Belém, onde o menino de Belém tornar-se-á Deus-Conosco e permanecerá para sempre no meio de nós.

O *Natal* é a solenidade da afirmação de que Deus se fez homem em nós e para nós. Celebramos o nascimento e a manifestação de Jesus Cristo, Luz do mundo, a obra maior do amor do Pai pelo Espírito Santo, ao ser humano, e que fez sua morada entre nós e assume nossa carne, dando ao ser humano o máximo de vida e de dignidade.

Do ponto de vista da Espiritualidade, o Natal lembra-nos que também devemos nos encarnar à semelhança do próprio Jesus, Verbo Eterno do Pai, em nossa própria carne, conhecendo-nos cada vez mais, humanizando-nos, cuidando de nossa corporeidade como local da habitação digna do próprio Deus. O corpo humano tem a sua dignidade, por isso, precisa ser preservado, humanizado cada vez mais. Também realizamos a encarnação na história de nosso próximo, a partir da solidariedade e da compaixão.

A *Quaresma* nos prepara à Páscoa. Percorremos com Jesus Cristo o itinerário da tentação, da provação e da obediência filial ao Pai. Ela nos convida à prática da justiça, da oração, da caridade e a combater as tentações do ter, do prazer e do poder, transfigurando-nos em Jesus, ganhando força Nele, a luz, que nos cura das cegueiras, e fonte de água viva. Do ponto de vista espiritual é tempo forte de conversão, de renovar o templo interior, de experimentar a fidelidade à Aliança com Deus e crer de todo o coração, rasgando-o para a vida nova, libertando-se das amarras interiores. Além disso, impele-nos à misericórdia e à reconciliação.

O *Tempo Pascal* é o ponto mais alto do ano litúrgico e tem o seu cume com a celebração da festa da Páscoa. Rememora-nos a Paixão, Morte e Ressurreição de Jesus que venceu a morte. É o ciclo que conseguimos perceber de maneira mais fácil, a atuação da Trindade na entrega de Jesus ao Pai e a sua ação na história, com a promessa do Espírito Santo e o Pentecostes. No que diz respeito à vida espiritual significa perceber em nossa vida as mortes e as ressurreições que devemos fazer e deixar com que o Espírito Santo de Deus atue em nossa vida, renovando-a com intensidade.

Por fim, o *Tempo Comum*, com suas 33 ou 34 semanas, ajuda-nos a refletir sobre as ações de Jesus na sua globalidade, sua pregação e sua prática de vida. À vida espiritual este período auxilia-nos na espiritualidade do cotidiano, ao contemplarmos a vida de Jesus e exercitar-nos para que o nosso cotidiano seja em ações e em testemunho semelhante ao Dele.

3. Celebrar e imiscuir-se no mistério de Deus em nossa vida

Feita uma breve introdução àquilo que celebramos, é importante compreender o que se celebra e as consequências à vida cristã. Por meio dos tempos litúrgicos, a Igreja chama os seus filhos a peregrinarem rumo ao conhecimento da vida trinitária, bem como de nosso próprio autoconhecimento por meio da vida de fé. Desse modo, o que se segue é um resgate da experiência de peregrinação interior que podemos fazer a partir da própria riqueza que o tempo litúrgico nos oferece.

3.1. O Advento: aplainar os caminhos para o Senhor que vem

O tempo do Advento abre o ano litúrgico que tem o seu início no primeiro domingo do Advento e vai até a festa de Cristo Rei do Universo[2]. Qual o significado de advento? Do latim: *adventus, significa* 'chegada, vinda'; do verbo latino: *advenire,* 'chegar'. Quer dizer: aparecimento, chegada de uma pessoa ou de um acontecimento.

Historicamente, a vivência desse tempo é registrada entre os séculos IV e VII, em muitos lugares do mundo, como preparação para o Natal do Senhor. Em fins do século IV, na Gália, hoje França, e na Espanha, havia o caráter ascético-penitencial, com jejum e abstinência por seis semanas, e era também uma fase de preparação dos catecúmenos para receberem o batismo. É no final do século VII, em Roma, que se insere o dado escatológico do Advento, relembrando a segunda vinda do Senhor.

---

[2] BUYST, Ione. *Celebrar com Símbolos*. São Paulo: Paulinas, 2001, p. 84.

Após a reforma litúrgica do Vaticano II[3], o Advento passa a ser celebrado em suas duas dimensões: a *vinda definitiva do Senhor* e a *preparação para o Natal*. É o tempo de esperar a chegada do Emanuel, o Deus Conosco. É o tempo da esperança alegre, da penitência, da conversão, de aprofundar a espiritualidade e de preparar os caminhos do Senhor e endireitar as veredas de nosso coração.

Há um canto de advento que diz:

> Senhor, vem salvar teu povo das trevas da escuridão./ Só Tu és nossa esperança, és nossa libertação. *Vem Senhor! Vem nos salvar, com teu povo vem caminhar!*/ Contigo o deserto é fértil, a terra se abre em flor;/ Da rocha brota água viva, da terra nasce esplendor./ Tu marchas à nossa frente, és força, caminho e luz./ Vem logo salvar teu povo, não tardes, Senhor Jesus.

A letra da canção nos coloca em sintonia com esse tempo da espera do Senhor que vem para trazer a luz para a humanidade, que se encontra na escuridão de seu pecado e da morte. Caminhar nas trevas, em sentido bíblico, é permanecer na escuridão absoluta, na obscuridade, na falta de visão, na ignorância e na estupidez. Assim, a vinda do Senhor inaugura um novo tempo de esperança. Tudo se transforma. Nas palavras do profeta Isaías, o deserto e a terra árida regozijarão e a estepe florirá como o lírio (Is 35,1), os coxos andarão, os mudos falarão e as águas jorrarão no deserto e torrentes na estepe (Is 35,6), e reinarão o direito e a justiça (Is 32,16).

---

[3] A Reforma litúrgica foi um movimento durante a preparação do Vaticano II, que resultou no texto da Constituição *Sacrosanctum Concilium*, SC, sobre a Liturgia, promulgado no dia 4 de dezembro de 1963. Dentre tantas conquistas, do ponto de vista dos sacramentos, da celebração Eucarística, as missas passaram a ser celebradas não mais em latim, mas na língua de cada país.

A celebração do advento nos traz à mente e ao coração um tempo de vinda, de chegada, de encontro. Mas para que alguém chegue, é necessário existir outro a sua espera. Poderíamos elucidar esse quadro da seguinte forma: quando, em nossas casas, estamos esperando um convidado, estamos num "tempo de advento" e nos colocamos a preparar toda a nossa casa e refeições para acolher da melhor forma. Para nós cristãos, o grande hóspede é o Senhor que chega. Será que estamos com nossas casas enfeitadas, com nossas lâmpadas abastecidas de azeite, ou estão vazias? (cf. Mt 25,1-13).

Do ponto de vista antropológico espiritual é um tempo para pensarmos no significado de nossos encontros significativos com as pessoas e em nossa capacidade de sermos protagonistas da esperança. Em um mundo tão complexo e difícil, ajudar as pessoas a enxergarem luzes no final do túnel e a descortinarem horizontes que possam, estar por detrás das montanhas. Certamente, essa é uma das carências da nossa era.

3.2. A Encarnação como evento espiritual

Uma das belas experiências do povo de Israel é ter percebido que Deus está sempre em constante movimento. Deus cria o Universo, caminha no deserto, olha para o sofrimento do povo. Não é um Deus fechado em si mesmo, narcisista, é caminhante na história. Isso tem implicâncias para a vida, pois provoca o ser humano crente a sair do seu mundo pessoal, egoístico e a lançar-se em novas direções.

Durante muito tempo a teologia cristã apresentou um Deus distante, intocável, e isso, muitas vezes, criou a mentalidade do "todo-poderoso" em relação ao "todo amoroso". Hoje, resgatam-se a paternidade e a maternidade fecunda e próxima de Deus, embora haja aqueles que preferem deixá-lo escondido nos céus. Resgatar o conceito de Deus bíblico, caminhante com o povo, é descobrir sua proximidade, alteridade, intimidade e apresentar-se diante dele, e mostrar-se tal como se é, sem medo, e saber que, antes de tudo, se é amado(a).

O Deus bíblico, especialmente no AT, não podia ser visto (Êx 3,6) nem ter o seu nome pronunciado, segundo os israelitas. Entretanto, num determinado momento da história, acontece um evento que rompe o véu de muitas concepções teológicas da época, e por que não também de hoje? Aquele Deus que caminhava com o povo, num gesto de profundo amor, torna-se visível, ganha um nome, deixando todos os atributos de poder, de força, e assume a condição humana, num determinado lugar, Belém. Filipenses 2,6-7, em seu belíssimo hino, diz: "apesar de sua condição divina, ele não reivindicou seu direito de ser tratado como igual a Deus. Ao contrário, aniquilou-se a si mesmo e assumiu a condição de servo, tornando-se semelhante aos homens". Deus agora está em meio a nós, nas palavras de São João, o "Verbo" armou a sua tenda no meio de nós. É uma nova criação, é o homem novo e, nele, todos somos todos renovados. A palavra do Pai provoca ação em cada pessoa da humanidade, remodela-a, em seu filho Jesus, o Deus-menino de Nazaré.

Se Jesus torna um de nós significa que agora a humanidade deve tornar-se plenamente humana e se divinizar nele que é a Sede da humanidade. Para compreender tudo isso não basta o olhar de uma fé superficial, mas uma fé que emana dos olhos dos pequenos, do coração, lugar de onde se é o que é, centro da consciência. Na narrativa da anunciação, encarnação e nascimento de Jesus, somente aqueles que tinham um coração simples foram capazes de compreender ou de se sentirem tocados: Maria, José, os pastores, os magos, Simeão, Ana e tantos outros que os evangelhos deixam em silêncio. Aqueles que tinham muito poder, ao contrário, usaram as forças para tentarem confundir essa boa notícia e arruinarem todos os projetos de esperança (Lc 2; Mt 2). Na verdade, todos estes personagens representam a humanidade com a sua capacidade de transcendência ou de negação do mistério divino.

A encarnação é algo de muita vida. É a vida de Deus na vida e no cotidiano humanos que confluem em Deus mesmo. É vida no seu profundo mistério... Este evento toca os porões escuros, lá onde a vida se encontra aprisionada, sem respiro. Aliás, o evangelho de Lucas nos coloca na lógica de resgate da vida. Após descrever o anúncio do Anjo a Maria (Lc 1,26-39), há duas cenas: a visita de Maria a Isabel (Lc 1,39-45) e o Magnificat, o canto de Maria (Lc 1,46-56). O que isso tem a ver com a Encarnação? Isabel e Zacarias tinham idades avançadas (Lc 1,18), ou seja, eram estéreis, não podiam gerar nova vida, algo que no mundo antigo era uma maldição. Quando Isabel recebe a visita, a criança que está em seu ventre salta, isto é, aquela realidade agora é plena de vida, porque encontra a Vida Plena que está no ventre de Maria. Mais uma vez humanidade (João) e divindade (Jesus) se encontram nas páginas da história para transformá-la.

O cântico de Maria retoma um canto antigo de Israel, o canto de Ana (1Sm 2,1-10), o qual traduz a esperança dos pobres, de todos aqueles que não tinham vida, vítimas dos diversos tipos de exclusões. Assim, Maria, plena de Deus, canta o canto novo, com o refrão de que um mundo novo é possível, em Deus, que se fez carne, pequeno, povo, para arrebentar as prisões da esterilidade. Deste modo, todo este evento nos faz refletir sobre qual tipo de vida estamos gerando e o canto que estamos cantando, se é um canto de morte, ou aquele que traz a esperança profética, capaz de fecundar os ventres estéreis das diferentes realidades do mundo atual.

Esse acontecimento tão cheio de vida, hoje, parece perder sua força. Quando se fala de Natal, as propagandas veiculam uma série de fatores que fazem parte da realidade desta festa: família, encontro, alegria. Porém, conecta-a ao consumo. Celebrar o Natal é consumir um produto de determinada marca. Por detrás disso, há uma lógica perversa de um capitalismo selvagem, seletivo, excludente, que pauta as pessoas pelo poder econômico. O Natal do cristão pode e deve comportar a festa, a família, os amigos, os presentes, no entanto, isto deve ser um motivo para se reunir e celebrar a vida na sua densidade e profundidade, e deixar ser tocado por ela. Sentir a vida do outro que nasce em mim e da minha que contagia o outro, à luz do grande sol nascente que nos veio visitar, libertar de nossas escuridões e guiar nossos passos no caminho da paz (Lc 1,78s).

Todo o ciclo do Natal nos remete à espiritualidade de encarnação na realidade, especialmente dos mais pobres e abandonados e do esvaziamento amoroso de Deus à humanidade. Recorda que cada pessoa, por vocação, também deve se fazer carne em meio a uma humanidade dividida, que tem medo do outro. Convoca-nos a revisar nossa existência, perceber nela a encarnação do mistério do Deus vivo que acontece a cada dia e fazer também do nosso coração a grande gruta de Belém, que acolhe o projeto redentor de Deus. Portanto, isso requer mudança de atitudes. O Natal pode ser só mais uma festa se o nosso coração não for contagiado pelo Verbo Encarnado que habita em cada um de nós! Assim, uma pergunta deve ecoar em nosso coração: o que esta festa significa para a minha vida cristã? Que elementos enriquecem a minha vida espiritual? Que mudanças percebo em minha vida ao celebrar esta festa e ao tocar o mistério do Deus nascente? Ou não diz absolutamente nada à minha vida e à minha fé?

3.3. A Quaresma:
convite a rasgar o coração a Deus e ao próximo

A Quaresma é um tempo favorável em preparação à festa litúrgica por excelência, a Páscoa do Senhor, e nela, a nossa Páscoa! Não é mera convenção criada pela Igreja, é um exercício litúrgico-espiritual que conduz os fiéis à experiência de Deus. Por isso, é importante conhecer o sentido deste tempo litúrgico para celebrá-lo e expressar na vida pessoal e comunitária este mistério salvífico. Para chegar à estrutura litúrgica da Quaresma, como a temos hoje, foi um longo processo histórico. As breves linhas que se seguem ilustram essas transformações.

A palavra Quaresma deriva de dois termos: *Quadragésima*, do latim, que significa quarenta dias e/ou quadragésimo dia e *Tessarakoste*, do grego quadragésimo. Portanto, há uma relação com o numeral quarenta. Nas Escrituras esse número, em suas variações, ocorre 192 vezes, nas diversas situações sociais, política, econômica e religiosa dos israelitas. Ele se refere aos clãs, ao número de homens do exército, à idade das pessoas, aos períodos de tranquilidade e de paz do povo, ao tempo de descanso de uma terra, à plenitude da fecundidade, ao reinado de reis, ao castigo de uma pessoa, às riquezas, à durabilidade do despovoamento de uma região e medidas econômicas.

Do ponto de vista teológico-litúrgico-espiritual o sentido relaciona-se com a experiência que o povo faz de Deus ou como leem a ação de Deus em sua história de libertação. Os quarenta dias e noites da inundação do dilúvio originam uma nova humanidade purificada pelas águas (Gn 7,4-17); a peregrinação do deserto e a travessia do Mar Vermelho para chegar à Terra Prometida, tempo de provação e de purificação (Êx 14–18,27); Moisés que permanece quarenta dias e quarenta noites sem comer e beber para receber a Aliança no Sinai (Êx 24,12-18; Dt 9,9); a penitência dos ninivitas antes de receberem o perdão de Deus (Jn, 3,4); a caminhada do profeta Elias durante quarenta dias e quarenta noites para chegar ao monte de Deus (1Rs 19,3-8); o jejum de Jesus durante quarenta dias e quarenta noites, quando foi tentado pelo diabo (Mt 4,1-11) e outras.

Deixando o mundo judaico e voltando ao Cristianismo, durante os três primeiros séculos não se constata nenhuma longa preparação para a Páscoa, embora os Padres da Igreja, como Santo Atanásio, Cirilo de Jerusalém e Santo Agostinho, mencionem a importância do jejum, como prescrição de solenidades ou preparação dos catecúmenos para receberem o batismo.

É no Concílio de Niceia (325 d.C.) que o termo "Quaresma" começa a ganhar força. Nesse período, havia um jejum de três a sete dias. A partir da metade desse período, acrescentam-se três semanas, num total de quatro semanas. Tal costume adentra o século VI e consolida-se no VII, quando surge o costume de jejuar na quarta-feira antecedente ao primeiro domingo da Quaresma. Estabelece o rito de imposição das cinzas, que cunha o termo *Quarta-feira das Cinzas*, e jejua-se, ao longo de quarenta dias, exceto nos domingos, comendo uma refeição ao dia, sem ingerir carne.

O atual calendário litúrgico prescreve que a Quaresma inicia-se na Quarta-feira de Cinzas e termina na Quinta-feira da Ceia do Senhor. Trata-se de um período que deve ser compreendido à luz da dinâmica do mistério pascal de Cristo.

Nesse dia, os cristãos recebem sobre a cabeça a imposição das cinzas, iniciando um tempo de profunda reflexão existencial, espiritual e de conversão. As duas fórmulas de imposição das cinzas sobre a cabeça: "Recorda-te de que tu és pó e ao pó tornarás" e "convertei-vos e credes no Evangelho" recordam a condição frágil do ser humano que caminha para a morte, sua situação pecadora e penitente, mas que deve converter-se e caminhar para a vida nova em

Jesus. Para isso, há um itinerário com três atitudes: o jejum, a oração e a caridade, o combate espiritual ao ter, ao prazer e ao poder, deuses interiores do ser humano e da sociedade, que ofuscam a experiência do Deus de Jesus Cristo.

Jejuar não significa apenas privar-se dos alimentos. É uma experiência muito mais ampla. É abster-se das forças interiores que nos fragmentam. O jejum nos ajuda a libertar de nossos vícios, das paixões desmedidas e da opulência. Abre o nosso ser para a simplicidade. Ensina-nos a permanecer com o essencial. Abre o nosso apetite às coisas de Deus, elimina as impurezas interiores. Predispõe o espírito humano para integrar-se ao Espírito de Deus e questiona a nossa solidariedade com aqueles que nada têm, por causa da opulência de outros. Reafirma, ainda, o nosso itinerário espiritual, libertando-nos do egoísmo, e incita a uma busca de vida plena, na vida nova que emanará da Páscoa do Senhor.

Orar é colocar-se, numa atitude de fé perante o Pai com o coração aberto, num diálogo de profundo amor e de intimidade com ele: "eu e o Pai somos um" (Jo 10,30). Nesse tempo quaresmal a oração deve nos interpelar a uma prática concreta de vida, ao testemunho e a contemplar o rosto das pessoas sofridas, vítimas da exclusão de nosso tempo, e a evitar tudo o que é prejudicial à vida pessoal e à do próximo. O exercício da oração pessoal e comunitária deve-se tornar nosso alimento diário para nos fortalecer, não somente nesse período, mas por toda a nossa vida, para que ela seja fundada na vontade de Deus. Assim, a oração é uma maneira de ler a ação de Deus na história humana e do mundo e perceber o seu rosto amoroso, que acolhe todos, sem usar instrumentais de poder e de opressão.

O ter, o poder e o prazer, as tentações que Jesus sofreu no deserto, cegam a pessoa para a prática da caridade, pois a distanciam de si mesma e do próximo. Não permite a atitude do Bom Samaritano, que diante do homem caído chegou junto dele, viu e moveu-se de compaixão, aproximou-se, cuidou de suas chagas, derramou óleo e vinho, colocou-o em seu próprio animal, conduziu-o à hospedaria e dispensou-lhe cuidados (Lc 10,23-37). A caridade é a base para uma espiritualidade da compaixão, aquela semelhante à de Jesus que, quando via as multidões famintas, tristes, desesperançadas, sem esperança, movia-se até elas e restituía-lhes a dignidade (Mt 14,13-21, Mt 9,36).

Desse modo, na Quaresma, peregrinamos com Jesus Cristo através do itinerário da tentação, da provação e da obediência filial ao Pai, transfigurando-nos Nele, cujo brilho cura-nos das cegueiras, renovando nossos olhos para a fé (Mt 17,1-9, Mc 9,2-8, Lc 9,28-36, 2Pd 1,16-18), inaugurando-nos um tempo novo para nos convertermos, renovarmos o nosso templo interior, a fidelidade à Aliança com Deus e crer de todo o coração, rasgando-o para a vida nova, libertando-nos das amarras interiores para impelir-nos à misericórdia e à reconciliação.

Nesse sentido, o tempo quaresmal deve ser para o cristão um momento oportuno para recordar, na vida pessoal, as ações de Jesus, pois convida a dar um salto qualitativo, à luz da vida do Doador de Vida, que convoca cada um de nós a um itinerário de seguimento e a fazer a experiência da via amorosa e reconciliadora, presente no mistério pascal. Esta realidade tem implicações profundas na vida e não é uma tarefa fácil, uma vez que pede de cada um certos elementos que rompem com o comodismo, com a passividade e requerem nova postura frente à realidade e um modo novo de vivenciar a fé. Não bastam somente o jejum, a caridade e a oração, muitas vezes vistos de um modo banal, pela sociedade de hoje e por muitos cristãos, como cumprimento de um preceito.

Nesse tempo profundo, proposto ao crente para a preparação à Grande Festa da Páscoa, não se pode esquecer-se da Sagrada Escritura, especialmente daqueles textos que ajudam a refletir sobre o sentido da misericórdia, da conversão e do amor de Deus na vida do ser humano; sobre a libertação, a aliança com Deus e a humanidade e aqueles que se referem à criação, ou a nova criação, à profecia, ao testemunho e as ações de Jesus: sua vida de anúncio da Boa Nova, oração, contato com as pessoas e seu modo de fazer o bem. As Escrituras são testemunhas, porta-vozes de todo o evento divino-humano e redemptivo da história da humanidade, fornecendo-nos um itinerário à fé. Não é um caminho tranquilo, pois nos faz desinstalar, colocar-nos em movimento, peregrinar para encontrarmos a razão da fé e o sentido para a existência.

Além da Escritura, é importante ler a vida dos santos e santas da Igreja. Vale recordar a vida de João da Cruz, Teresa de Jesus, Teresinha de Lisieux, Edith Stein, Santo Antão, Santo Afonso e tantos outros que fizeram uma profunda experiência de fé. Vale lembrar-se dos atuais, pessoas que doaram sua vida por causa da fé em Jesus, em favor dos mais frágeis. Devemos recordar os santos e santas de nossas comunidades que, no silêncio, dão vida à missão da Igreja.

Se a Quaresma é tempo de preparar o coração, lugar onde cada um é o que é, uma das maneiras propostas pela Igreja é o Sacramento da Reconciliação. Infelizmente, este sacramento vem sendo desvalorizado, tanto por parte de muitos sacerdotes, quanto dos fiéis. Para este momento de graça, sacerdote e fiel devem estar preparados, pois trata-se de sacramento que toca lá nas profundezas da pessoa, nas suas luzes e sombras, e busca trazê-la à luz que emana do mistério pascal de Cristo. O sacerdote deve ser um mistagogo, aquele que ajude o penitente a fazer a experiência do mistério redentor de Jesus, na vida; e a pessoa a reencontrar novos caminhos de vida e santidade. Além do sacramento da reconciliação, é imprescindível a participação na Eucaristia, a grande oração da Igreja, momento em que celebramos a nossa páscoa na páscoa de Jesus.

A Quaresma é um tempo de enamoramento, à espera da grande boda do Senhor, na qual se celebra o mais profundo mistério de fé, de humanização de Deus, e a mais fiel aliança da história, realizada na Cruz de Cristo e na sua ressurreição.

Diante da proposta litúrgica da Quaresma, cada um deve perguntar-se: O que significa esse tempo para mim? Como o vivo? Como estou me preparando para celebrar o grande mistério pascal de Cristo? Quais são os frutos espirituais conquistados e que repercutem na minha vida cristã e de comunidade? Qual será o meu itinerário espiritual nesta Quaresma? Ou será que este é mais um período proposto pelo calendário litúrgico e nada me diz? É bom que, à luz dessas interrogações, cada um se ponha a perguntar e a refletir sobre a vida espiritual pessoal.

3.4. Celebrar a Ressurreição: palavra final da vida sobre a morte!

A experiência espiritual da Quaresma leva-nos a entrar num processo de releitura da nossa vida para compreendermos de modo mais profundo o evento Páscoa, isto é, o acontecimento que contém o máximo de vitalidade, arranca a pedra do sepulcro e desvela Aquele que venceu a morte, na manhã do primeiro dia.

O significado da Páscoa para os israelitas é um evento de libertação. Ao serem libertados da escravidão do Egito, acontece a salvação. Portanto, libertação e salvação coincidem, pois expressam a ousadia de Javé, o Deus dos fracos, que se instala no núcleo do poder faraônico: utilizando-se da filha do Faraó, que não concorda com as atrocidades cometidas pelo Império Egípcio; e de Moisés para destruir os tentáculos do rei e libertar toda a casa da escravidão (Êx 2–3).

O Deus dos fracos afronta os deuses do Império e os destrona e implanta a liberdade e a vida, por meio da saída da casa da servidão e da chegada à Terra Prometida. Nesse processo de libertação, os israelitas celebram a Páscoa, ritual de desinstalação e da percepção salvífica do Deus caminhante na história, e que mesmo sendo desprezado pelo seu povo, quando choram as cebolas do Egito, não se esquece da Aliança feita com este povo (Êx 12). Este evento é tão cheio de utopia, de tanta vida que, antes mesmo daqueles grupos exodais porem-se a caminho, já celebram, numa certeza de que conseguirão atravessar o deserto, liderados por Moisés e acompanhados pelo Deus-Libertador. Tudo é contado de forma grandiosa, até a natureza é envolvida nesse processo: o mar se abre (Êx 14,15-31), as rodas dos carros se quebram (Êx 14,25) e a água brota da rocha (Êx 17,1-7).

Percorrendo a história, saímos da páscoa judaica, raiz da páscoa cristã, e chegamos até Jesus Cristo. Os textos bíblicos não têm uma palavra final sobre o que de fato aconteceu depois da morte de Jesus. O certo é que a terrível morte de Jesus colocou os discípulos numa situação dramática, de modo que fez esfacelar a comunidade deles e dos que estavam ao redor de Jesus, frustrando suas esperanças e destruindo sua fé ingênua. A fuga dos discípulos (Mc 15,50), a caminhada dos discípulos de Emaús (Lc 24,21), o medo dos judeus (Jo 20,19) retratam a decepção em relação ao que esperavam de Jesus. Aquele em quem acreditavam estava, agora, crucificado, pena máxima àqueles que se revoltavam contra o Império Romano ou eram marginais. Para eles, havia morrido com Jesus todos os projetos de libertação de Israel. Diante de tal acontecimento, perguntavam-se como alguém, que gerou tanta vida ao redor de si, e transmitiu-a às pessoas, poderia morrer miserável e escandalosamente.

Na Páscoa os discípulos chegam a reler esse acontecimento de outro modo, testemunhando a revelação de Jesus. Chegam à afirmação de que Ele está mais vivo do que nunca. Creem que esta morte não foi em vão, mas caracteriza-se como um novo sopro vital. Eles ressignificam a morte de Jesus, e aquilo que parecia ser o abandono de Deus não o foi, pois a Ressurreição era a prova cabal de que Deus estava com seu Filho, Justo, que fora elevado à direita do Pai e entronizado no reino e na glória de Deus-Pai, que se lembrou Dele e deu-lhe o máximo de vida.

A ressurreição de Jesus recria o universo de outra maneira. O livro do Gênesis lembra-nos que, no primeiro dia, Deus criou a luz e separou-a das trevas (Gn 1,3-5). Os evangelistas narram que na manhã do primeiro dia da semana o sepulcro estava vazio e Jesus não estava mais entre os mortos. (Mt 28,1s, Mc 16,2; Lc 24,1-3; Jo 20-1-2). Mesmo com o dia ainda escuro, horário das trevas, o túmulo é visitado pelas mulheres. Elas representam todos os excluídos do tempo de Jesus e também de nosso tempo que, na simplicidade, na exclusão, conseguem enxergar a manhã da Ressurreição e porem-se a caminho do discipulado, mesmo com intenso medo; fazem a profunda experiência da maximização da fé-esperança. Elas são portadoras do anúncio pascal. Portanto, é na manhã do primeiro dia que desponta a Grande Luz que ilumina o céu e a terra e rompe com todas as trevas. Agora, todo o céu e terra são configurados em Jesus, o Senhor da história, e Nele não há mais morte! O túmulo encontra-se vazio. Aos poucos, ia sendo compreendido à luz da vida nova que desceu à mansão dos mortos e de que o mundo fora recriado de outra forma por Deus em Jesus, e que Nele todo o ser humano seria tocado pelo mistério profundo da Ressurreição.

A teologia espiritual e a celebração da Páscoa fazem parte de um conjunto litúrgico-celebrativo e espiritual. Não se trata de algo distante de nós, não fala de um Deus nas alturas, mas celebra o Deus próximo, exodal, que é puramente amor e fez a loucura de se lançar na história e experimentar a morte no seu Filho. No Domingo de Ramos, temos uma síntese do mistério que deve ser celebrado. Entretanto, é no tríduo pascal que se desenvolve toda a trama da paixão, morte e ressurreição de Jesus e o convite para fazermos o caminho espiritual com Ele.

A paixão e a morte de Jesus lembram-nos que viver somente para si é egoísmo e pode nos levar a apodrecer nos túmulos deste mundo, sem ressoar o cântico novo de uma nova criação. Expressa o convite do anjo para o não espanto da realidade de profunda vida, mas para re-percorrer o itinerário de Jesus para que Ele nos tire dos sepulcros escuros de nossa vida, para que possamos olhar o mundo a partir da ótica da vida que vence a morte, do amor que vence o ódio, do homem e da mulher velhos que são configurados no Cristo Jesus, o Crucificado da história, que desceu à mansão dos mortos destruiu a morte e renovou todos os seres humanos Nele.

Há aqueles(as) que ainda preferem permanecer na comodidade do túmulo escuro, mesmo cheio de carnes podres, não transformadas em Deus pelo Espírito. São carentes do memorial. O Deuteronômio ensina-nos: "E, amanhã, quando teu filho te perguntar: 'Que significam estas instruções, estas leis e estes costumes que Javé, nosso Deus, vos prescreveu?' Responderás a teu filho: 'Éramos escravos do faraó no Egito, mas Javé nos tirou do Egito com mão poderosa. Javé realizou, diante de nossos olhos, sinais e prodígios grandes e terríveis para o Egito, para o faraó e toda a sua casa. Tirou-nos de lá para nos conduzir e nos dar a terra que havia jurado a nossos pais" (Dt 6,20-23). Há aqueles(as) que ainda não despertaram para a luz do primeiro dia...

A espiritualidade da Páscoa nos tira do comodismo ao nos relembrar que devemos nos despir de nossos instintos humanos, do não serviço aos demais e tornar-nos escravos serviçais que, além de acolherem, repartem o pão e o vinho mesmo em meio às resistências, preconceitos, traições, e estabelecem a Nova Aliança, nas diferentes situações da vida. É um convite à ascese, relembra a virtude da humildade e questiona se somos pessoas que expressam o mistério da dádiva no cotidiano da vida. Recorda-nos a dimensão martirial da fé, a capacidade de entrega, de doação de vida, naquelas situações de não vida, especialmente no corpo dos crucificados da história, que também estão na Cruz de Jesus.

Em muitas famílias e na grande maioria da sociedade, o que resta da Páscoa é apenas o amargo do chocolate, que sequer relembra o amargor das ervas amargas e do pão sem fermento, muito menos a experiência de libertação do jugo opressor. Porém, muitas pessoas, hoje, continuam comendo das ervas amargas da exploração, da falta de dignidade... A real história da Páscoa, de antemão, desmistifica uma série de leituras capitalistas e periféricas que oprimem o ser humano, porque se encontra na dinâmica da graça e da salvação do ser humano.

3.5. Tempo Comum: aprofundar as ações de Jesus

Passadas as festas solenes de Natal e de Páscoa, a Igreja celebra o chamado Tempo comum, que pode ser dividido em duas partes: a primeira, que começa com a Festa do Batismo do Senhor, encerrando-se na Quarta-feira de Cinzas, quando se inicia o tempo quaresmal, e a segunda, dando continuidade ao tempo, a partir da Solenidade de Pentecostes. Trata-se de um tempo ordinário, em que se recorda toda a vida e ação de Jesus. Esse conjunto de 34 semanas possui a sua espiritualidade própria: escuta da Palavra, anúncio e vivência do Reino de Deus. Como nos demais tempos, a Igreja celebra as memórias, as festas dos santos e santas, virgens e mártires e as solenidades próprias do tempo.

No Tempo comum são celebradas algumas solenidades e festas do Senhor. As solenidades são a Santíssima Trindade; no domingo seguinte ao de Pentecostes; *Corpus Christi*, na quinta-feira depois da solenidade da Santíssima Trindade; o Sagrado Coração de Jesus, na segunda sexta-feira após Corpus Christi, e Cristo Rei do Universo, que se celebra no último domingo do Tempo Comum, ocupando o lugar do 34º domingo. As festas são a Apresentação do Senhor, a Transfiguração e a Exaltação da Santa Cruz. As demais festas e solenidades se referem à Virgem Maria, aos Apóstolos, anjos e santos e a alguma celebração especial da vida da Igreja, por exemplo, a festa da dedicação da Basílica de Latrão, no dia 9 de novembro. É a forma de a Igreja celebrar ao longo do tempo os mistérios de Jesus, que se nos manifestam de diferentes modos, pessoas e acontecimentos.

Nesse percurso do Tempo comum, a escuta da Palavra coloca-nos em sintonia com o ministério de Jesus. Em outros termos, trata-se de compreender quem é Jesus, sua vida, e a relação que tinha com seu povo, com a comunidade dos apóstolos e discípulos, com a religião, com a política com a economia de seu tempo (Templo) e com as pessoas excluídas: pecadores, estrangeiros, órfãos, viúvas, doentes, mulheres e crianças. Evidencia-se, então, a profunda humanidade de Jesus enquanto alguém capaz de se compadecer dos sofredores(as), de ir ao encontro deles e libertá-los daquilo que os escravizava, que gostava de comer e de beber, tinha amigos, era carinhoso com as crianças, teve conflitos com sua família por não entenderem o seu projeto, chorou e ficou irado com tudo aquilo que maltratava, feria e violava a dignidade humana. Fica claro que Jesus foi o homem que não viveu para si. Toda a sua vida foi *kenosis*.

O Nazareno, além do seu relacionamento com as pessoas de seu tempo, tinha a profunda intimidade com o Pai (Jo 17,21). "Quem me vê, vê o Pai" (Jo 14,9). É essa comunhão que o sustenta em sua missão e no anúncio do Reino de Deus. E aqui encontramos desde as pessoas que se converteram e seguiram-no até aquelas que rejeitaram o seu chamado e não o compreenderam. Para isso, Jesus usou todas os recursos que tinha: aproximar-se das pessoas, sermões, parábolas, comparações, as curas etc. Era o modo dele fazer as pessoas compreenderem o que é o Reino de Deus e a sua justiça e antever as consequências que este projeto teria sobre a sua própria vida, ao mesmo tempo, fazer os seus coetâneos compreenderem que o seu Reino não era deste mundo, e o que salva o ser humano é o seu amor a Deus e ao próximo.

Assim, a liturgia do Tempo comum nos pede para que sigamos a estrada de Jesus: bom pastor (Jo 10,1-18), caminho, verdade e vida (Jo 14,1-14), que esteve ao lado dos pequeninos e falou a todos do amor do Pai e do seu Reino, do qual devemos aprender e ter as mesmas atitudes. Assim, para interiorizarmos tudo isso, faz-se necessário a escuta da Palavra, que entra pelos nossos ouvidos, chega ao nosso coração e ilumina a nossa mente. Isso implica deixar espaço em nossa vida para escutar o Espírito que nos fala ao coração.

Em termos práticos, a vivência espiritual do Tempo comum tem implicações em nossa vida social, provocando-nos a sermos agentes de transformação no mundo que estamos e da vivência do Reino nele. Isso significa transformação das atitudes pessoais condizentes com as de batizado(a) seguidor(a) dos ensinamentos de Jesus. A provocação espiritual que o Tempo comum nos faz é: como posso, com meus limites, ter um agir semelhante ao de Jesus? O ser bom, acolhedor, justo, compassivo, solidário e íntimo com o Pai, e levar a esperança às pessoas, é conformar-se com a vida de Jesus. Essa é a tônica desse tempo que celebramos.

3.6. A vida dos santos e santas, virgens e mártires

Em sua liturgia a Igreja relembra os santos, as santas, virgens e mártires. É a forma de recordar aqueles(as) que nos precederam na fé e deram testemunho, por meio de suas vidas, do Santo por excelência, Deus. Ao mesmo tempo, exprime a sintonia das duas Igrejas, a terrena e a celeste: o povo de Deus que caminha em direção à santidade e animado por quem já percorreu essa estrada, agora, repousa em Deus. Recorda aos fiéis que a santidade é dom e possível a todos. Depende de cada um colocá-la como meta de vida.

Em nosso itinerário espiritual a leitura da vida dos santos é importante, todavia nunca deve ser feita fora de seu contexto e com certa criticidade ao hagiógrafo, quando não se trata de uma obra escrita pelo próprio santo(a). Esses dois elementos são importantes para compreendermos quem, de fato, foi aquela pessoa e como respondeu aos desafios de seu contexto, histórico e eclesial. Muitas coisas que parecem exageros, em determinadas épocas, eram consideradas normais, tais como as duras penitências e mortificações. Um exemplo é a prática penitencial que tantas vezes permeiam as hagiografias. Por detrás disso, há uma compreensão de desprezo ao corpo, de combate às paixões que, na atualidade e na compreensão teológico--eclesial, já são concebidos de outro modo. Mudaram-se as concepções de corporeidade, a teologia espiritual evoluiu... Então, o que resta desses exemplos? Ainda são válidos hoje? O que nos ensinam? Sim, são válidos! Não significa que hoje vamos flagelar o nosso corpo, alimentar-nos de cinzas, etc. O ensinamento subjacente é de colocarmos todo o nosso ser em Deus e buscarmos combater todas as forças que nos fazem desviar de sua busca. Ora, isso vale para qualquer tempo. Cada um, dentro de sua realidade, sabe onde está o seu ponto frágil e o que deve fazer para fortalecer-se e aderir totalmente ao projeto divino, ao seguimento de Jesus, e testemunhá-los no mundo. Isso é perene e é válido para qualquer tempo e espaço.

Nesse processo de compreensão da beleza de uma vida devota a Deus é importante o olhar crítico. Há hagiógrafos que para ressaltarem as virtudes de um santo, mártir, virgem tiram-lhes a humanidade. Colocam-lhes como pessoas com dons sobrenaturais, milagreiros, etc. Certamente, a grande sobrenaturalidade e o grande milagre dos santos foram serem profundamente humanos, com todos os seus sentimentos. É da profunda humanidade íntima com a divindade do Senhor que puderam fazer coisas sobrenaturais e seus milagres.

No contexto da santidade está o martírio. O mártir é aquele que, por professar a fé e por amor ao próximo, é capaz de doar a sua própria vida. Na história da Igreja exemplos não faltam de homens e mulheres que, diante dos grandes deste mundo, não os reconheceram como divinos, mas somente a um só, o Deus criador de todas as coisas. Por isso, foram perseguidos e mortos. Mas o martírio não é algo distante de nós no tempo e na história. Ainda hoje há homens e mulheres que são perseguidos por causa de sua fé, e são mortos por isso. O sangue dos mártires do passado se atualiza no sangue dos mártires de hoje e se conflui no Sangue do Cordeiro que inocentemente deu a vida por todos. A vida dos mártires testemunha a fidelidade absoluta ao Senhor do tempo e da história e a adesão a uma causa pela qual foi capaz de abrir mão do bem maior, a própria vida.

A virgindade também foi e é uma forma de consagrar a vida a Deus. Muitos homens e mulheres, sem nenhuma profissão religiosa pública, consagraram sua vida a Deus e o continuam fazendo ainda hoje. Para muitas pessoas na atualidade, essa opção pode ser um escândalo ou até mesmo algum desequilíbrio psicológico. Ao contrário, são homens e mulheres que, em profunda consciência e liberdade, tomaram tal decisão, e são como fermento, sal e luz no mundo e brilham, em seu silêncio e discrição, para que o mundo veja as boas obras e glorifique o pai que está no céu (Mt 5,13-16). A Igreja, em sua liturgia, recorda a fidelidade dessas pessoas, especialmente das mulheres, que foram exemplo de consagração e de maternidade espiritual a serviço do Reino de Deus.

Por fim, não podemos nos esquecer de uma santidade anônima de homens e mulheres que não estão nos altares, mas também encontra eco naqueles que a Igreja celebra. São aqueles exemplos de bondade e de virtude que reconhecemos em nossas comunidades de fé. Os santos nunca se reconheceram como tal, mas, nos seus contextos, testemunharam o Senhor, lutando em favor dos pequeninos e pelas causas do Reino. Eles depositaram a confiança Nele: "Todo aquele que tem esta esperança nele purifica-se a si mesmo, como ele é puro" (1Jo 3,3). Que o contato com a vida dos santos, santas, virgens e mártires possa nos relembrar a importância da santidade em nossos dias e a nos entusiasmar a peregrinarmos nos caminhos do Redentor.

CONCLUSÃO

Todo ser humano que deseja crescer humana e espiritualmente deve fazer a sua peregrinação interior, que vai além de um itinerário espiritual, pois todos nós precisamos nos confrontar interiormente e nos autoconhecermos melhor. Nesse sentido, a espiritualidade pode ser, além de profunda experiência de Deus, também autoconhecimento. Obviamente, que exigirá renúncias, disciplina, confrontos consigo mesmo, conforme vimos ao longo deste livro. No entanto, é a possibilidade que cada ser humano tem de construir, com Deus, o seu oitavo dia ou a sua bela obra de arte, o seu mosaico existencial.

A minha proposta ao leitores não é a de uma conclusão, e sim de um começo. Agora cabe a quem leu, colocar-se como Peregrino e construir o seu próprio itinerário pessoal. Para iniciar, pergunte-se: quem sou eu? O que quero buscar e por que o quero? Como posso fazê-lo? Do que quero me libertar? Essas questões ajudam o processo de discernimento e nas escolhas a serem feitas ao longo da vida.

Ao iniciar o seu itinerário abandone seu medo, pois Deus caminha com você. Ele é seu companheiro de viagem. Não tenha medo de se confrontar com o passado, com suas atitudes, com frustrações, com rancores. Pode ser doloroso, porém é curativo. Basta ter paciência consigo mesmo(a), pois as mudanças interiores e a conversão nem sempre ocorrem na velocidade que queremos. Não tenha medo das dúvidas que possam surgir. Elas são importantes. Escute-as atentamente, peça ao Espírito Santo a iluminação, a sabedoria, a ciência, a fortaleza e o discernimento. Não se esqueça da oração, seu pão cotidiano, e das Escrituras, sua bússola orante, para livrar-se das encruzilhadas que podem aparecer no caminho e confundir para deixar o verdadeiro caminho ou desanimar.

O autoconhecimento e a alimentação da nossa espiritualidade são um modo de cuidar de nosso ser, de melhorá-lo, de descobrir suas potencialidades e sonhos, ajudar os outros e a sermos felizes. Além disso, constitui o nosso modo cristão de ajudar esta sociedade complexa em que vivemos a ser menos individualista, mais inclusiva e justa. Se queremos mudar o que está fora de nós, devemos começar pelas transformações dentro de nós, pois isso nos conferirá testemunho e a certeza de que mudanças são possíveis, graças as nossas próprias forças e pelo amor e a graça divina que jamais nos abandona. Agora cabe a você iniciar a sua peregrinação interior. Deus está com você...

Encerro esta reflexão com alguns poemas de Cecília Meireles,[1] que nos ajudarão a refletir sobre a dinâmica renovadora da própria vida e da nossa transformação interior:

---
[1] MEIRELES, Cecília. *Cânticos*. Bibliografia incompleta.

Canto II
Não sejas o de hoje.
Não suspires por ontens...
Não queiras ser o de amanhã.
Faze-te sem limites no tempo.
Vê a tua vida em todas as origens.
Em todas as existências.
Em todas as mortes.
E sabe que serás assim para sempre.
Não queiras marcar a tua passagem.
Ela prossegue:
É a passagem que se continua.
É a tua eternidade ...
É a eternidade.
És tu.

Canto XII
Não fales as palavras
dos homens.
Palavras com vida humana.
Que nascem, que crescem, que morrem.
Faze a tua palavra perfeita.
Dize somente coisas eternas.
Vive em todos os tempos
pela tua voz.
Sê o que o ouvido nunca esquece.
Repete-te para sempre.
Em todos os corações.
Em todos os mundos.

Canto VI
Tu tens um medo:
Acabar.
Não vês que acabas todo o dia.
Que morres no amor.
Na tristeza.
Na dúvida.
No desejo.
Que te renovas todo o dia.
No amor.
Na tristeza.
Na dúvida.
No desejo.
Que és sempre outro.
Que és sempre o mesmo.
Que morrerás por idades imensas.
Até não teres medo de morrer.
E então serás eterno.

Canto XIII
Renova-te,
Renasce em ti mesmo.
Multiplica os teus olhos
para verem mais.
Multiplica os teus braços,
para semeares tudo.

Destrói os olhos que tiverem visto.
Cria outros, para visões novas.
Destrói os braços que tiverem semeado,
Para enriquecerem de colher.

Sê sempre o mesmo.
Sempre outro.
Mas sempre alto.
Sempre longe.
E dentro de tudo.

Este livro foi composto com as famílias tipográficas Cambria, Elephant, Segoe e Times New Roman e impresso em papel Book Ivory 65g/m² pela **Gráfica Santuário.**